Manuale Bili
Corrispond
Comunicazione C

Bilingual Handbook of Business Correspondence and Communication

Altri titoli nella stessa serie

Francese/inglese – inglese/francese

Tedesco/inglese – inglese/tedesco

Spagnolo/inglese – inglese/spagnolo

Other titles currently available in this series

French/English – English/French

German/English – English/German

Spanish/English – English/Spanish

Manuale Bilingue di Corrispondenza e Comunicazione Commerciale

ITALIANO · INGLESE

Bilingual Handbook of Business Correspondence and Communication

ENGLISH · ITALIAN

Susan Davies · Anna Maria Arduini

PRENTICE HALL INTERNATIONAL

Petrini editore

First published 1989 by
Prentice Hall International (UK) Ltd,
66 Wood Lane End, Hemel Hempstead,
Hertfordshire, HP2 4RG
A division of
Simon & Schuster International Group

Printed and bound in Great Britain by
BPCC Wheatons Ltd, Exeter.

Library of Congress Cataloging-in-Publication Data

Davies, Susan, 1946 –
Manuale bilingue di corrispondenza e comunicazione commerciale = Bilingual handbook of business correspondence and communication.

(English language teaching)
1. Commercial correspondence – Handbooks, manuals, etc.
2. Commercial correspondence, Italian – Handbooks, manuals, etc. 3. English language – Business English – Handbooks, manuals, etc. 4. Italian language – Business Italian – Handbooks, manuals, etc.
I. Gaignoni Arduini, Anna Maria. II. Title.
III. Title: Bilingual handbook of business correspondence and communication. IV. Series.
HF5725.D385 1989 808'.066651 89-3949

British Library Cataloguing in Publication Data

Davies, Susan
Manual bilingue di correspondenza e comunicazione commerciale (Bilingual handbook of business correspondence and communication.
1. Italian language. Business Italian
I. Title. II. Arduini, Anna Maria Gaignoni
808'.066651021

ISBN 0-13-079757-X

1 2 3 4 5 93 92 91 90 89

INDICE/CONTENTS

Organization of the book

This book is divided into two halves with each half split into three main sections (A, B, and C). The first half of the book is aimed principally at the Italian-speaking user whose target foreign language is English. The second half is aimed principally at the English-speaking user whose target foreign language is Italian. The bilingual contents on page v provide an overview of the contents of the whole book.

Each half of the book starts with its own contents page which indexes all the items covered in that half. Every item is clearly numbered and can be found easily by reference to the heading at the top of each page and by page numbers.

The English-speaking user should turn to page 117 for the contents of the second half of the book. In the second half of the book Sections A, B, and C provide information on Italian commercial correspondence, business communication in Italian, and Italian business practice and general culture. This half of the book contains numerous model business letters, telexes and useful phrases in Italian. All instructions and explanations are in English.

For ease of cross-reference the numbering system in each half of the book corresponds directly. The English-speaking user can therefore cross-refer the items in the second half of the book to the corresponding items in the first half of the book as these correlate directly. In the phrase section (A5–10), users can check the equivalent phrases in their own language in the first half of the book.

Example: First half (Italian-speaking user):
Sezione A 7.4.2 Istruzioni agli agenti
Second half (English-speaking user):
Section A 7.4.2 Instructing an agent

There is a short Abbreviations section at the end of each half of the book.

Piano dell'opera

Il libro è diviso in due metà, a loro volta formate da tre sezioni principali: A, B e C. La prima metà del libro è essenzialmente pensata per lettori di lingua italiana che devono usare la lingua inglese. La seconda metà è dedicata ai lettori di madre lingua inglese che devono adoperare la lingua italiana. Gli indici bilingue a pagina v offrono una visione d'insieme dell'intera opera.

Ogni sezione principale (A, B e C) inizia con il suo proprio indice che elenca tutti i punti trattati in quella sezione. Ogni punto è chiaramente numerato e può essere trovato facilmente riferendosi al titolo in alto ad ogni pagina.

Il lettore italiano troverà a pagina 3 l'indice della prima metà del libro. Le sezioni A, B e C forniscono informazioni sulla corrispondenza nel mondo degli affari e sulle pratiche commerciali e la cultura britannica in generale. Tutte le istruzioni e spiegazioni sono in italiano, ma i modelli di lettere commerciali, telex e frasi utili sono in inglese.

Per facilitare un riferimento incrociato, il sistema di numerazione degli argomenti è identico nelle due metà del libro. Il lettore di lingua italiana è rinviato per ogni singolo argomento alla trattazione corrispondente nella seconda metà del libro. Nelle sezioni delle frasi modello (A5–10) i lettori possono confrontare le frasi equivalenti nelle propria lingua nella seconda metà del libro.

Esempio: Prima metà (per il lettore di lingua italiana):
Sezione A 7.4.2 Istruzioni agli agenti
Seconda metà (per il lettore di lingua inglese);
Section A 7.4.2 Instructing an agent

Viene data una breve sezione di Abbreviazioni alla fine di ciascuna delle due metà del libro.

Acknowledgements

Prentice Hall Managing Editor: David W. Haines
Editorial/production development and supervision:
Apollo Publishing, Leeds, UK.

The publishers would like to thank the many organizations and individuals who provided information and sample materials. Particular thanks to David Tye, Steven Constable, Leeds Chamber of Commerce and Industry, and to the Department of European Business at Leeds Polytechnic and the Modern Languages Department of Leeds University, UK.

Manuale Bilingue di Corrispondenza e Comunicazione Commerciale

Italiano · Inglese

INDICE

Introduzione

SEZIONE A LA CORRISPONDENZA COMMERCIALE

Parte Prima La lettera commerciale

Parte Seconda Frasi tipiche della corrispondenza commerciale

SEZIONE B LA COMUNICAZIONE NEL MONDO DEGLI AFFARI

SEZIONE C LA GRAN BRETAGNA. GUIDA CULTURALE E COMMERCIALE

INTRODUZIONE

Questa metà del libro è divisa in tre sezioni:

SEZIONE A LA CORRISPONDENZA COMMERCIALE

Parte Prima La lettera commerciale

Questa parte tratta della presentazione e dello stile delle lettere commerciali moderne, sia inglesi che americane, con spiegazioni sulle varie parti della lettera stessa, indicazioni di stile nella corrispondenza commerciale e suggerimenti su come redigere una lettera. Vengono dati alcuni esempi quando necessario.

Parte Seconda Frasi tipiche della corrispondenza commerciale

Questa parte offre una selezione di espressioni e frasi da lettere autentiche. Sono state scelte in quanto utili a formare uno schema di espressioni alternative. Possono essere usate sia come esempi di stile nelle lettere di affari moderne che come fonte di riferimento. Le espressioni sono classificate sotto vari titoli a seconda dell'argomento.

SEZIONE B LA COMUNICAZIONE NEL MONDO DEGLI AFFARI

Questa parte tratta dell'uso del telefono, del telex, dei telegrammi e dei fonogrammi in Gran Bretagna, con esempi di ciascun tipo di comunicazione.

SEZIONE C LA GRAN BRETAGNA. GUIDA CULTURALE E COMMERCIALE

Questa parte vuole essere una fonte di informazioni per quanti visitano la Gran Bretagna per affari o per chi deve organizzare una visita. Oltre a fornire informazioni generali sul paese dà una descrizione dettagliata dei sistemi di trasporto, gli orari di lavoro, i servizi postali e le telecomunicazioni. C'è anche una sezione sui comportamenti sociali degli inglesi. Per quanto sia difficile fare generalizzazioni per un'intera nazione, ci hanno fatto da guida i commenti e le esperienze di stranieri in Gran Bretagna. Speriamo che queste note siano un aiuto per meglio capire quali siano i comportamenti socialmente accettati.

Alla fine di questa sezione abbiamo dato un elenco di fonti di informazione che riteniamo possano essere utili ad un operatore economico che visiti la Gran Bretagna.

Si è fatto ogni sforzo per verificare che i dati forniti siano aggiornati e corretti; comunque i cambiamenti nel mondo degli affari sono così frequenti che alcune informazioni possono risultare inesatte dopo la pubblicazione.

Certe sottosezioni di questo libro sono seguite da un asterisco (*), che indica che quelle sottosezioni non corrispondono precisamente con le loro equivalenti nell'altra lingua, a causa di differenze di cultura o di pratica commerciale.

SEZIONE A:
LA CORRISPONDENZA COMMERCIALE

Parte Prima La lettera commerciale

1 Redazione di una lettera commerciale inglese

□ 1.1 Intestazione

Le lettere commerciali hanno un'intestazione stampata in alto, che comprende il nome della ditta, l'indirizzo e il numero di telefono. Inoltre può essere stampato anche il numero di telex, di telefax, l'indirizzo telegrafico, il numero del *Telecom Gold Mailbox* e anche il numero di *VAT (Value Added Tax)* tassa sul valore aggiunto, che viene applicata in Gran Bretagna sulle merci e servizi (Vedere Sezione C 1.5).
Ltd dopo il nome della ditta, è l'abbreviazione di *Limited* e indica che la ditta è formata da soci che sono responsabili solo per il capitale che hanno investito, se la ditta fallisce. Se una tale ditta deve del denaro a qualcuno e fallisce, il creditore può ottenere solo ciò che la ditta possiede (responsabilità limitata). Le azioni non possono essere vendute sul mercato azionario.

PLC/plc è l'abbreviazione di *Public Limited Company* e indica che le azioni della ditta possono essere vendute sul mercato azionario.

& Co indica che la ditta è una società tra due o più persone. Può essere a responsabilità limitata o meno. Di solito il nome dei soci è stampato nell'intestazione.

& Son, Sons o *Bros* (brothers) può essere aggiunto per indicare che membri della stessa famiglia partecipano alla gestione della ditta.
Una ditta può essere gestita da una sola persona *(a sole trader)*, nel qual caso non troveremo alcuna sigla dopo il nome.

Board of Directors Anche il nome dei membri del Consiglio di Amministrazione (quelli che decidono della politica della società) si può trovare nell'intestazione.

Addresses L'intestazione può indicare anche altri indirizzi della ditta.

Registered number è il numero con cui è identificata la ditta al momento della sua registrazione. È indicato di solito con il nome della regione o città nel quale la ditta è stata registrata ed è generalmente stampato in fondo alla pagina.

Logo (logos) è il simbolo della ditta o il marchio registrato.

□ 1.2 Parti della lettera

1.2.1 Riferimenti

Sulle lettere con intestazione stampata la dicitura riferimento è di solito *Your ref:* oppure *Our ref:*
Il riferimento può indicare: le iniziali del firmatario della lettera e quelle della segretaria: PJD/SD, un numero di schedatura, un numero di conto, un numero di riferimento cliente.

1.2.2 Data

È scritta sotto i riferimenti. *Non* abbreviatela, per esempio 1/9/89 perchè ciò può creare confusione (V. Sezione A 2.7.2). Scrivete: il giorno, il mese, l'anno: 1 September 1999.
Non è più necessario scrivere *st nd rd th* dopo il numero come in *1st, 2nd, 3rd* e *4th*.

1.2.3 Nome e indirizzo del destinatario

Scrivete su una sola riga ognuna delle seguenti parti:

Titolo di cortesia + iniziali/nome proprio + cognome + titoli accademici	Mr J A Pickard BA (Hons)
Incarico nella ditta	Product Manager
Nome della ditta/società	International Bank
Nome dell'edificio	Telstar House
Numero + strada/piazza	132–3 Arlington Road
Nome della città	Tonbridge
Contea e codice postale	Kent TN9 1AA

Non abbreviate nessuna parola nell'indirizzo del destinatario, per esempio: Road e non Rd
Street e non St
Avenue e non Ave

1.2.4 Titoli di cortesia, professionali o accademici

Se conoscete il nome della persona alla quale state scrivendo, dite:
Mr – un uomo Mr M C Graham
Miss – una donna non sposata Miss Jane Seath
Mrs – una donna sposata Mrs Margaret West
Ms – una donna di cui non si conosce lo stato civile o quando lo si ritiene non importante Ms A C Monk
Messrs – due o più persone Messrs Smith and Jones
Questi titoli sono sempre scritti così e mai abbreviati.
Altri titoli: Doctor, Professor, Captain, Major, Colonel, ecc.
Iniziali: Se si ha più di una iniziale, nel caso di due nomi propri, scrivete le due iniziali come tali: Mr J D Evans
Se si ha un solo nome proprio, scrivetelo per intero: Mrs Susan McCartney

Esq (raro oggi) è usato solo per uomini, dopo il cognome e senza il titolo di cortesia: P Hormer Esq

Titoli nobiliari, riconoscenze ufficiali, onorificenze, titoli accademici: Sono indicati dopo il nome e si dovrebbe fare attenzione a copiarli dalla corrispondenza precedente. Possono essere controllati su uno dei seguenti testi:

Burke's Peerage, Baronetage and Knightage
Debrett's Peerage and Titles of Courtesy
Kelly's Handbook to the Titled, Landed and Official Classes
Burke's Landed Gentry
Who's Who

Ulteriori informazioni sul protocollo si possono avere da: The Protocol Office Foreign and Commonwealth Office, King Charles St, London SW1.

In generale i titoli della cavalleria precedono gli altri (a meno che non siano preceduti da *VC* (*Victoria Cross*) o da *GC* (*George Cross*); poi vengono le onorificenze, seguite dai titoli accademici (per primi i titoli di minor grado) ed infine le qualifiche professionali o non accademiche. Per esempio:

Mr John Smith DSO OBE MP
Miss M S O'Callaghan BA Dip RSA FRSA

Se non conoscete il nome della persona:

1. Scrivete il titolo professionale (o cercate di indovinarlo): The Sales Manager, Public Relations Officer, ecc.
   oppure
2. Scrivete il nome dell'ufficio/reparto: Accounts Department, Sales Department, ecc.

oppure

3. Non scrivete nè il nome nè il titolo, ma solo il nome della ditta.

1.2.5 Il vocativo o formula di saluto iniziale

Dear Sir	per un uomo di cui non conoscete il nome.
Dear Sirs	per una ditta.
Dear Madam	per una donna sposata o non, di cui non conoscete il nome.
Dear Sir or Madam	per una persona di cui non conoscete nè il nome nè il sesso.
Dear Mr Smith Dear Mrs Jones Dear Ms Carter	per una persona di cui conoscete il nome.

Non adoperate mai le iniziali nel vocativo.

Scrivete sempre il titolo *e* il nome: Dear Doctor Lee (mai Dear Doctor).

Se una persona ha un titolo speciale, ci sono convenzioni particolari usate nel vocativo, nei saluti e sulle buste. Queste regole sono spiegate dettagliatamente nel testo *Titles and Forms of Address*. Lo *Whitaker's Almanack* ha anche una sezione dedicata agli indirizzi di chi possegga un titolo di vario genere. Per le corrette procedure del protocollo e del galateo su come dare le precedenze agli ospiti, come disporli a tavola, come proporre un brindisi, e situazioni simili, leggete *Debrett's Correct Form*.

1.2.6 Saluti

Se la lettera inizia:	Dear Sir Dear Sirs Dear Madam Dear Sir or Madam	finisce Yours faithfully
Se la lettera inizia:	Dear Mrs Jones Dear Ms Ferguson Dear Dr Johnson	finisce Yours sincerely

1.2.7 Firma

Il nome del destinatario è dattiloscritto sotto la firma, di solito con il titolo di cortesia. (Se il titolo non è scritto, il firmatario è di solito un uomo.)

Yours faithfully
T. M. Jones
T M Jones (Ms)

Sotto al nome si scrive l'incarico del destinatario nella ditta:

Yours sincerely
J. Davis
J Davis
Personnel Manager

Talvolta *pp* (a nome di, in vece di) è usato per indicare che una persona è legalmente autorizzata a scrivere a nome della ditta o a firmare a nome di qualcun altro:

Yours sincerely
pp Blake Electronics plc
P.E. Wright
P E Wright (Ms)
Chief Accountant

Yours faithfully
D. Smith
pp S Constable (Miss)
Managing Director

Di regola, il nome dattiloscritto dovrebbe apparire esattamente come nella firma, ma sempre senza il titolo. Ogni firma è personale e caratteristica e può includere:

i due nomi propri (frequenti in Gran Bretagna) per esteso John Paul Brown

il primo nome per esteso e l'altro con la sua iniziale John P. Brown

le sole iniziali J. P. Brown

Quando rispondete ad una lettera, usate la firma dattiloscritta come guida per il vocativo. Per esempio:

Firma	**Vocativo nella risposta**
Yours sincerely Pamela Seath Pamela Seath (Ms)	Dear Ms Seath
Yours sincerely Rupert M. Downey Rupert M Downey MD	Dear Dr Downey
Yours sincerely Ellen Mary Moore (Mrs) Ellen Mary Moore	Dear Mrs Moore
Yours sincerely P.R. Scott P R Scott	Dear Mr Scott

Nota: Gli uomini di solito omettono il loro titolo e si può dedurre con una relativa certezza che quando si hanno le sole iniziali, senza titolo, il firmatario è un uomo.

1.2.8 Altre caratteristiche

Private and confidential: Questa scritta è dattilografata sotto all'indirizzo del destinatario (e sulla busta). Formule alternative, con scarsa differenza di significato: Confidential, Private e Strictly Confidential.

cc (*carbon copies*) è scritto alla fine della lettera per indicare che è stata inviata una copia della lettera ed a chi.
enc oppure *Encl* (plurale *Encs*) viene scritto in fondo alla lettera per indicare gli eventuali allegati.
For the attention of dattilografato dopo l'indirizzo del destinatario. Per attirare l'attenzione della persona alla quale è indirizzata la lettera. Se è usata questa formula non è necessario ripetere il nome del diretto destinatario nell'indirizzo.

1.2.9 Impaginazione e punteggiatura

Di solito le ditte usano l'impaginatura a blocco, senza punteggiatura tranne che nel corpo della lettera. La stessa regola vale per le abbreviazioni che non sono più seguite dal punto.
La mancanza di punteggiatura è tipica con lo stile a blocco in cui tutte le righe hanno lo stesso margine iniziale.
Nella impaginatura a semiblocco, che è oggi meno comune, la punteggiatura è usata in ogni parte della lettera.

Impaginazione a blocco senza punteggiatura:

Impaginatura a semiblocco con punteggiatura:

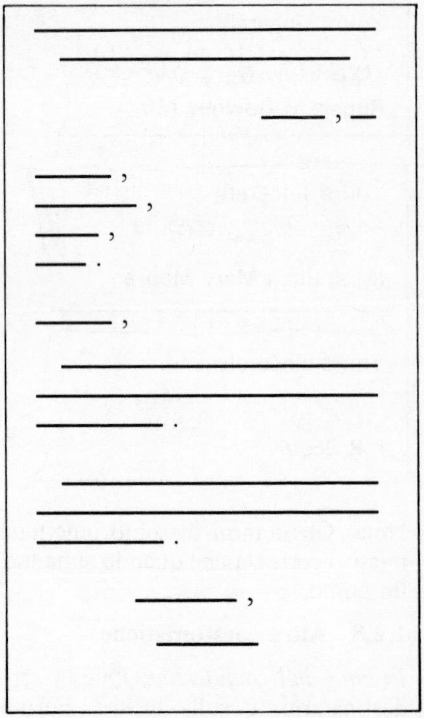

1.2.10 Lettere maiuscole

Le lettere maiuscole *(capital letters)* sono dette anche *block letters, upper case* oppure *print*.

1. La lettera maiuscola iniziale deve essere usata per i titoli di vario tipo che accompagnano il nome proprio: President Reagan, Reverend Thomas, Doctor Williams.
2. Le lettere maiuscole sono usate per titoli di vario tipo quando, pur mancando il nome, si riferiscono ad una determinata persona: The Prime Minister will visit France next month.
3. Le lettere maiuscole non sono usate per i titoli quando il riferimento è generico: A new prime minister is elected every five years.
4. Per incarichi di responsabilità all'interno di una ditta, usate le lettere maiuscole: I should be grateful if you would ask your Chief Engineer to inspect the machinery. È comunque gentile usare sempre la lettera maiuscola quando si scrive ad una ditta: Following our meeting with your Products Manager. Quando si scrive in generale invece, si usa la lettera minuscola: The number of salesmen could be reduced by more efficient use of the phone.
5. Le lettere maiuscole sono usate per le iniziali e le abbreviazioni: Mr T G Blake BA
6. Le lettere maiuscole erano una volta usate per tutte le intestazioni, i titoli e gli avvisi; questa pratica è ora meno comune: *Micros for the Arts*. I titoli dei libri di solito hanno la lettera maiuscola per la prima parola e per tutte quelle che danno significato (parole come *it, and, with, to, from,* ecc. non aggiungono significato): *The State of the Nation*.
7. La lettera maiuscola iniziale è usata per i nomi delle persone, posti, ditte, giorni e mesi (ma non per le stagioni): James Turner heard on Monday that he's got a job with Artefact Ltd in Scotland; he has been looking for a new job since the spring. He's leaving at the end of July.

1.2.11 Esempi di lettere

La seguente lettera a blocco è una risposta ad una richiesta e mette in evidenza:
Impaginazione a blocco, cioè ogni rigo inizia con lo stesso margine.
Assenza di punteggiatura, cioè la punteggiatura è presente solo nel corpo della lettera.

Riferimenti	Our ref ELT/RLS
Data (scritta senza – th – 9th)	9 July 19– –
Nome ed indirizzo del destinatario	Ms S Evans Cartel Learning Systems Ltd 13 Winters Street LONDON WC2
Vocativo	Dear Ms Evans
Corpo della lettera	Thank you for your letter of 29 June in which you showed interest in our products. Enclosed is our latest price-list and catalogue. You will see from the information that we provide a comprehensive training programme for each of our systems. Please contact me should you require any further information.
Saluti	Yours sincerely
Firma	Maria Cossiga
	Maria Cossiga (Miss) Sales and Marketing Department
Allegati (Enc. al singolare)	encs

Questa lettera a semiblocco evidenzia:
Impaginatura a semiblocco, cioè l'indirizzo del destinatario è dattilografato a blocco e i paragrafi della lettera a semiblocco. La data è sulla destra. Notate che tutta la lettera ha la punteggiatura.
Come il firmatario abbia reso meno formale e più amichevole la lettera scrivendo il vocativo e i saluti a mano.

Con stile a semiblocco anche l'indirizzo ha la punteggiatura.

Scritte a mano per indicare familiarità al di là dei rapporti di lavoro

Our ref: ajs/dp 10th January, 19– –

Mrs A Berens,
Creasport Production,
Hameentie, 366,
00560, Helsinki.

Dear Anna

First of all, thank you very much for a thoroughly enjoyable evening at the theatre last night. The "Golden Cockerel" was certainly very spectacular and one of the most entertaining operas I have seen for quite a while.

Now on to business, during the interval last night, we discussed The Information Technology Programme and I said I would send you some information. I enclose the relevant handbook which also gives details of other courses which we operate.

I hope you find this information of use and look forward to seeing you in the near future.

My very best wishes to you and David

Michael

Michael Catton,
Senior Training Officer

□ 1.3 Indirizzo sulla busta

Il nome e l'indirizzo sono scritti come nell'interno della lettera, ma si possono usare le abbreviazioni:

Road	*Rd*
Avenue	*Ave*
Street	*St*
Hertfordshire	*Herts*

Ms S Pritchard
Research assistant
Hertfordshire College of Art and Design
7 Hatfield Rd
ST ALBANS .... *città in maiuscolo*
Herts
UNITED KINGDOM .... *nazione in maiuscolo*
AL1 3RS .... *codice postale su riga separata alla fine*

La seguente lista indica le abbreviazioni dei nome di contea accettate dalle poste:

Bedfordshire	Beds
Berkshire	Berks
Buckinghamshire	Bucks
Cambridgeshire	Cambs
Gloucestershire	Glos
Hampshire	Hants
Hertfordshire	Herts
Lancashire	Lancs
Leicestershire	Leics
Lincolnshire	Lincs
Mid Glamorgan	M Glam
Middlesex	Middx
Northamptonshire	Northants
Northumberland	Northd
Nottinghamshire	Notts
Oxfordshire	Oxon
Shropshire	Shrops/Salop
South Glamorgan	S Glam
Staffordshire	Staffs
Warwickshire	War
West Glamorgan	W Glam
Wiltshire	Wilts
Worcestershire	Worcs
Yorkshire	Yorks

North, South, East e *West Yorkshire* possono essere abbreviati (*N,S,E* e *W*) e *County* può essere abbreviato *Co.*

2 La lettera commerciale americana

□ 2.1 Impaginazione

L'impaginazione di una lettera commerciale americana è molto simile a quella inglese. La forma più comune è quella senza punteggiatura (che si avrà solo nel corpo della lettera) e impaginazione a blocco (ogni rigo ha inizio con lo stesso margine).

□ 2.2 Vocativo

La formula più comune è *Gentlemen*. Se il firmatario vuole indirizzare una lettera ad una particolare organizzazione e contemporaneamente segnalarla all'attenzione di qualcuno, si usa scrivere così:

January 1 19—

American Corporation
Advertising Department
123 Park Towers
Zanesville ST 4567

Attention Mr Jon Esling

Gentlemen:

Se il firmatario desidera indicare che nell'organizzazione ci sono sia uomini che donne, la formula di saluto iniziale è:
Ladies and Gentlemen *oppure* Dear Sir or Madam
Il vocativo Dear Sir usato nelle lettere inglesi è usato raramente ed è considerato arcaico.
Le forme di vocativo più comuni sono: Gentlemen
Dear Mr (or Ms, Mrs, Miss, Dr, Professor) Jones
Dear Bob

Quando una lettera è indirizzata ad un'organizzazione, senza alcun destinatario specificato, non si scrive nè il vocativo nè i saluti.

□ 2.3 Congedo

Come nelle lettere inglesi, solo la prima parola ha la lettera maiuscola:

Livello di formalità	**Formula di congedo**
Molto formale – per mostrare rispetto e deferenza	Respectfully yours Respectfully Very respectfully

Neutro – usato generalmente nella corrispondenza	Very truly yours Yours very truly Yours truly
Amichevole e meno formale – usato generalmente nella corrispondenza	Most sincerely Yours cordially Very sincerely yours Sincerely yours Yours sincerely Sincerely
Molto informale – usato quando destinatario e firmatario si conoscono molto bene	As ever Best wishes Best regards Kindest regards Kindest personal regards Regards

□ 2.4 Indirizzo sulla busta

Le poste degli Stati Uniti raccomandano che gli indirizzi sulle buste siano scritti interamente in lettere maiuscole senza punteggiatura.

MR M S PROCHAK PRESIDENT .... nome con il titolo sulla stessa riga, spazio permettendo

SILICON PRESS CORP

276 MAIN BLVD SUITE 60.................................... numero della suite, stanza, appartamento dopo il nome della strada

FAIRMONT MT 235867 .... città, stato e codice postale (*Zip code*) sulla stessa riga.

USA

L'abbreviazione di due lettere, in lettere maiuscole, che indica lo stato, è obbligatoria. Anche il *Zone Improvement Plan* (abbreviato *ZIP)*, analogo all'inglese *postcode* o codice di avviamento postale è obbligatorio.

□ 2.5 Sigle per stato

Le seguenti sono le sigle degli stati americani e dei territori annessi.

Alabama	AL	Delaware	DE	Illinois	IL
Alaska	AK	District of Columbia	DC	Indiana	IN
Arizona	AZ	Florida	FL	Iowa	IA
Arkansas	AR	Georgia	GA	Kansas	KS
California	CA	Guam	GU	Kentucky	KY
Canal Zone	CZ	Hawaii	HI	Louisiana	LA
Colorado	CO	Idaho	ID	Maine	ME
Connecticut	CT			Maryland	MD

Massachussets	MA	New York	NY	Tennessee	TN
Michigan	MI	North Carolina	NC	Texas	TX
Minnesota	MN	North Dakota	ND	Utah	UT
Mississippi	MS	Ohio	OH	Vermont	VT
Missouri	MO	Oklahoma	OK	Virginia	VA
Montana	MT	Oregon	OR	Virgin Islands	VI
Nebraska	NE	Pennsylvania	PA	Washington	WA
Nevada	NV	Puerto Rico	PR	West Virginia	WV
New Hampshire	NH	Rhode Island	RI	Wisconsin	WI
New Jersey	NJ	South Carolina	SC	Wyoming	WY
New Mexico	NM	South Dakota	SD		

□ 2.6 Esempio di lettera americana

Orange County Van & Storage Company
13871 Newhope Street, Garden Grove, California 92643
714/537-3155

May 31 19—

RCM Manufacturing Company Inc
4022 Ninth Avenue
New York, New York 10055

Gentlemen:

We intend to purchase a new copier before the end of our fiscal year which is August 30. We have heard good reports about your products and wonder if you have a model that would suit our needs.

Our office is not particularly large and we employ only four secretaries who would be the principle users. We have estimated that we run approximately 3,000 copies a month and we would prefer a machine that uses regular paper. We should also like to be able to reduce and enlarge.

Please let us know your warranty and repair service.

We hope to hear from you soon.

Sincerely yours,
ORANGE COUNTY VAN AND STORAGE CO

Michael Sheldon
Manager

Vocabolario:

USA	**GB**
Inc (Incorporated)	Ltd (Limited)
May 31	31 May
Gentlemen:	Dear Sirs,
fiscal	financial
regular	normal
warranty	guarantee
Sincerely yours	Yours faithfully

□ 2.7 Inglese britannico ed inglese americano

2.7.1 Differenze ortografiche

1. Le parole che terminano in inglese britannico in *-our* in inglese americano terminano in *-or*, per esempio:

Inglese britannico	**Inglese americano**
neighbour	neighbor
favour	favor
labour	labor

2. Le parole che terminano in inglese britannico in *-gue* in inglese americano terminano in *-g* per esempio:

catalogue	catalog
monologue	monolog
dialogue	dialog

3. Le parole che terminano in inglese britannico in *-re* terminano in inglese americano in *-er*, per esempio:

theatre	theater
centre	center
calibre	caliber

4. In inglese britannico la *-l* finale delle parole che prendono desinenza viene raddoppiata quando la desinenza inizia per vocale, per esempio:

dial – dialled, dialling	dial – dialed, dialing
travel – travelling, travelled	travel – traveling, traveled
wool – woollen	wool – woolen

5. Diverse parole che in inglese terminano in *-ce*, in inglese americano terminano in *-se*, per esempio:

defence	defense
licence (nome)	license
offence	offense

6. Altre differenze, non riconducibili ad una regola, si possono trovare in un qualsiasi buon dizionario. Esempi:

tyre	tire
cheque	check
aluminium	aluminum
aeroplane	airplane

Nell'uso del vocabolario si possono avere due possibili aree di confusione, sebbene il contesto, di solito, lasci intuire il significato (V. Sezione A 2.7.2).

2.7.2 Differenze di vocabolario

Parole diverse che indicano la stessa cosa, per esempio:

Britannico	Americano
autumn	fall
bonnet (dell'auto)	hood
current account	checking account
flat	apartment
flyover	overpass
full stop	period
holiday	vacation
lift	elevator
Limited Company (Ltd/PLC)	Corporation (Inc)
No. (numero)	#
pavement	sidewalk
PTO (please turn over)	over
rates	property tax
saloon	sedan
timetable	schedule
toilet	bathroom/restroom
underground/tube	subway

Con l'importazione di cultura americana in Gran Bretagna attraverso le canzoni, i film, i programmi televisi e le catene di fast-food, la maggior parte degli inglesi conoscono le differenze di cui sopra. Non è altrettanto probabile il contrario. C'è poi un gruppo di parole che può creare confusione, piochè vengono usate nelle due varianti linguistiche con significato diverso in contesti uguali. Per esempio:

Britannico	Americano
11.1.90 (11 January)	1.11.90 (11 January)
1.11.90 (1 November)	11.1.90 (1 November)
billion	trillion (V. nota in Sezione B 1.1.2 poichè in GB si inizia ad usare la terminologia USA)
one thousand million	billion
quite good	all right
very/really	quite
ground floor	first floor
first floor	second floor
to table a motion (incontri)	submit a topic for discussion
to postpone a topic for discussion	to table a motion
petrol	gas
gas	gas

3 Lo stile della lettera commerciale inglese

□ 3.1 Abbreviazioni e forme contratte

Usate solo abbreviazioni note a chi leggerà la vostra corrispondenza: *USSR, UK, USA.*, £50 ecc. Certe abbreviazioni non sono mai scritte per intero: *am, pm, NB, eg, ie* (V. anche Sezione B 2.3). Nella corrispondenza di tono formale non usate forme contratte. Per esempio:

Non usate	**Usate**
don't	do not
won't	will not
can't	cannot

□ 3.2 Ambiguità

3.2.1 Lunghezza della frase

Non fate frasi troppo lunghe che possono divenire confuse e difficili da capire:
Interest will continue to accrue from the date of your statement until your payment is received, and for this reason, although a payment is made for the balance shown on a given statement, a residual interest charge will appear on the subsequent statement.
Questa frase è troppo lunga. Le vostre frasi dovrebbero essere di circa 20 parole. Si può variare la lunghezza usando una frase breve per dare un concetto importante e introdurre nuove informazioni in un'altra frase:
Interest accrues from the date of your statement until payment is received. Any interest accrued in this period, appears on your next statement.

3.2.2 Punteggiatura

We are investigating the possibility of buying twenty two tonne trucks.
Questa frase potrebbe significare:
a) 22 trucks (ventidue)
b) 20 trucks (venti da due tonnellate)

3.2.3 Ordine delle parole

We received the statement which was overdue in March.
Questa frase potrebbe significare:
a) L'estratto conto è stato ricevuto in marzo.
   We received the overdue statement in March.
b) L'estratto conto doveva essere spedito in marzo.
   We received the overdue March statement.

3.2.4 Pronomi

He had to leave him to continue with his report.
Potrebbe significare:
a) La persona che è andata via doveva scrivere il rapporto.
   He had to leave him as he had to go to continue his report.

b) La persona che rimase doveva scrivere il rapporto.
He had to leave him so that John could get on with his report.

3.2.5 Messaggi abbreviati

Chi scrive ha chiaro ciò che ha nella testa, ma chi legge vede solo ciò che è scritto sulla pagina:
Goods despatched 21 February damaged
Significa che le merci sono arrivate danneggiate o che si sono danneggiate dopo l'arrivo?

□ 3.3 Gergo commerciale

Non usate parole antiquate che non hanno più alcun significato.
Esempi:

Non usate	**Usate**
attached hereto	*attached*
at your earliest convenience	*as soon as possible*
we are in receipt of	*we have received*
enclosed please find	*enclosed is*
we have received same	*we have received it*
we beg to advise you your cheque has arrived	*your cheque has arrived*

□ 3.4 Ortografia

Gli errori di ortografia in una lettera commerciale tendono a far pensare a chi legge che la ditta non è efficiente. Se non avete un programma di correzione testi nel vostro computer, solo una buona conoscenza dell'ortografia può rendere una lettera degna di essere spedita. Prestate particolare attenzione alle parole che hanno stessa pronuncia ma diversa grafia. Le seguenti parole danno frequentemente luogo ad errori. Controllate su un vocabolario i loro diversi significati.

affect	effect
counsel	council
ensure	insure
except	accept
fare	fair
for	four
formally	formerly
passed	past
peace	piece
practice	practise
principal	principle
stationary	stationery

□ 3.5 Stile

3.5.1 Stile colloquiale

Non usate quelle parole che sono tipiche della lingua parlata, non formale (V. Sezione A 3.6.2)

Confrontate: I'm sure we checked the lot and found it was all OK.
I'm sure we checked everything and found each item was up to standard.

3.5.2 Tatto

Usate il passivo:
Non. You forgot to send the enclosures. ma: *The enclosures were not received.*

Usate la terza persona:
Non: I regret that I cannot authorize this payment. ma: *The company cannot authorize this payment.*

Assumetevi la responsabilità:
Non: You have not paid. ma: *We have not received your cheque.*

Non siate categorici:
Non: You have made a mistake. ma: *It appears that a mistake has been made.*

Non siate scortesi:
Non: We cannot accept your order. ma: *Unfortunately we cannot accept your order as we have not yet received your letters of reference. We shall be delighted to process your order once we have received the necessary information.*

Siate costruttivi:
Non: We regret to inform you that prices have increased by 15% owing to increased production costs. ma: *We are pleased to inform you that in spite of rising costs, price increases are being kept down to 15%.*

□ 3.6 Linguaggio formale

3.6.1 Parole formali e parole informali

Le parole della prima colonna sono piú tipiche del linguaggio formale che quelle della seconda:

Parole formali	Parole informali
accordingly	so
acquire	get
apparent	clear/plain
ascertain	find out
assist, facilitate	help
commence	begin
consider	think
consult	contact, talk to, see, meet
discontinue	stop, end
economical	cheaper
endeavour	try
erroneous	wrong, false
formulate	work out, devise
implement	do
in consequence of	because, as
in excess of	more than
initiate	start
necessitate	need, compel, force
obtain	get
remuneration	salary, pay, income, fee, wages
state	say
supplementary	extra, more
take cognizance of	notice, realize, know
terminate	end
utilize	use

Per altri esempi, consultate *Newman's English* (Rinehart and Winston).

Le parole della colonna di sinistra sono ancora comuni nella corrispondenza commerciale. Sebbene sia più facile per molti stranieri comprenderle, il loro uso comporta, per quanti parlano la lingua madre, le seguenti sensazioni:

a) il messaggio è distaccato e meno cordiale (può sembrare scortese)

b) il messaggio è più ufficiale (può sembrare burocratico)

c) il messaggio proviene da una persona colta (può sembrare pomposo)

Per esempio paragonate:

In consequence of the non-payment of the above-noted account and your failure to avail yourself of the facilities afforded to you in our Reminder Note sent to you on 16 May, we are putting the matter in the hands of . . .

con

We still have not received your payment to clear the above account. We sent you a reminder on 16 May giving details of the different ways to spread your payments. As we have not heard from you, we are passing the matter over to . . .

3.6.2 Stile

In scritti formali i pronomi *I*, *you* e *we* sono da evitare:
Formale: One should check whether one is insured against theft.
Informale: You should check whether you're insured against theft.
Notate che alcune ditte preferiscono che le lettere siano scritte con il soggetto *we* e non *I*, quando si scrive a nome della ditta. *I* è usato solo quando chi scrive lo fa in prima persona. Nelle lettere commerciali entrambi i pronomi possono essere usati nella stessa lettera. Per esempio:

We have considered the report carefully and we feel that it is too early for us to make a decision. I should like to arrange further discussions to clarify some of the details.

Inoltre l'uso del pronome *we*, in certe situazioni, riduce la responsabilità del firmatario, cioè la ditta nel suo insieme, piuttosto che il firmatario, ha inviato il messaggio. Per esempio:

Unless we receive your payment within seven days, we shall instruct our solicitors to start proceedings to recover the debt.

Sebbene la distinzione tra *who* e *whom* sia sparita nell'inglese parlato, chi ama un linguaggio formale mantiene la distinzione:

Formale: The Managing Director is seeking a company with whom they can merge.

Informale: The Managing Director is looking for a company who they can merge with.

L'uso della forma passiva può dare al messaggio un tono più formale:
Formale: This matter will be dealt with immediately.
Informale: Someone will deal with this matter immediately.
L'uso del pronome *it* impersonale dà maggiore formalità:
Formale: It has taken him three weeks to answer my letter.
Informale: He has taken three weeks to answer my letter.
Paragonate le seguenti lettere.
Ad un collega con il quale si ha da tempo rapporti d'affari:

> Dear John
>
> I enjoyed seeing you last week and visiting your lovely city again. Many thanks for the wonderful meal.
>
> I checked on the books you mentioned and they're coming out in 19– –. I'll send you 20 copies of each title in the series as soon as they are published.
>
> Perhaps you could give me a ring later in the month to talk about your new catalogue.
>
> Many thanks again for looking after me.
>
> With best wishes

Ad una persona più anziana o più importante, che il mittente ha incontrato una sola volta:

> Dear Mr Smith
>
> It was delightful to meet you last week and to visit your charming city. I should like to take this opportunity of thanking you for the superb meal.
>
> With reference to our discussion, we can now confirm that the titles you mentioned will be available in 19– –. We shall forward 20 copies of each title in the series as soon as they are published.
>
> I look forward to discussing your forthcoming catalogue at a later date.
>
> Thank you once again for your hospitality.
>
> Yours sincerely

Si può anche rendere una lettera più informale facendo delle correzioni, o note, a mano sulla lettera scritta normalmente:

> ~~Dear Mr Seymour~~ Dear John
>
> Enclosed is the latest report from our R and D Department on the feasibility of introducing the new component.
>
> We hope to hear from you soon.
>
> ~~Yours sincerely~~ With best wishes
>
> James
>
> J A Martin
> Assistant Research Officer

4 Preparazione della lettera

□ 4.1 Oggetto

L'oggetto indica il punto centrale della lettera e fornisce al lettore un elemento di riferimento immediato. Permette al firmatario di introdurre l'argomento e riferirsi ad esso nel corso della lettera. Non è necessario iniziare l'oggetto con *RE:*
L'oggetto può essere scritto in lettere maiuscole, sottolineato o in grassetto. Per esempio:

Dear Mr Collins

ACCOUNT NO 237999

Enclosed is the payment due on the above account . . .

Dear Ms Miller

H Marshall and Co

We have now received our reports concerning the above company and . . .

Dear Sir

Online Search Services

We are interested in finding out about the above service offered by your company.

Se la lettera è lunga, complicata o tratta più argomenti di uguale importanza, è più probabile che l'oggetto sia omesso.

□ 4.2 Primo paragrafo

Fate riferimento alla corrispondenza precedente:
Thank you for your enquiry of (data).
In reply to your letter of (data), I enclose details of our . . .
Thank you for your telex of (data) enquiring about our . . .
In answer to your telephone message earlier today, I can confirm . . .
Se non c'è stata corrispondenza precedente:

o a) vi presentate:
We are a (tipo di ditta) company in (luogo) and are interested in purchasing (prodotto).
I plan to open (descrivete il tipo di ditta) in a prime site in (luogo).
We are the main suppliers in the UK for . . .

oppure b) dite lo scopo della vostra lettera:
I am writing concerning . . .
Please find enclosed our order for . . .
We are interested in purchasing . . .

□ 4.3 Paragrafo interno

In questa parte definirete in maniera più particolareggiata lo scopo della vostra lettera:

Enclosed are some leaflets which set out in detail the range of our products as well as the current price-list.
The booking was for a single room with shower for four nights from 19 to 22 September inclusive.
Would you please tell us if this firm has had any outstanding payments in the past or whether their business has been subject to bankruptcy proceedings?

□ 4.4 Paragrafo finale

Se la lettera è una risposta, ringraziate di nuovo:
Once again thank you for your order.
enquiry.
interest.
co-operation.

Se la lettera è un'offerta di scuse, scusatevi di nuovo:
Let me apologize again for the delay in sending you this information.
Once again, please accept my apologies for taking so long to settle the account.
Se volete che sia fatto qualcosa, scrivete così:
We look forward to receiving your quotation.
Please telex to confirm the reservation.
Incoraggiate una risposta:
We hope to hear from you in the near future.
I hope the enclosed information covers all your questions, but please do not hesitate to contact us if there are any points which require clarification.
We hope that our terms are of interest to you and we look forward to hearing from you.

Parte Seconda Frasi tipiche della corrispondenza commerciale

5 La richiesta

□ 5.1 Prima richiesta

5.1.1 Frasi di apertura

We are considering buying . . .
purchasing . . .
installing . . .

We require for immediate delivery . . .
We are (descrivete la ditta) and are looking for a supplier of . . .
Please could you send us details of . . . as advertised in . . .
We are (descrivete la ditta) and are interested in purchasing . . .
buying . . .
Please could you send us your current price-list and catalogue.

5.1.2 Come citare il tramite

We were given your name by . . .
You were recommended to us by . . .
Our associates in . . . speak highly of your products.
services.
Your firm has been recommended to us by . . .
We understand from . . . that you can supply . . .
We saw your stand at the . . . Fair.
Exhibition.
We have seen your advertisement in . . .
Please forward details of . . . as advertised in . . .

5.1.3 Richiesta di termini di consegna e/o pagamento

Will you please let us know your prices for . . .
whether you could supply . . .
give us a quotation for . . .
Please send us further details of . . .
your current price-list.
your export catalogue.
goods which can be supplied from stock.
quantities. delivered immediately.
shipped immediately.
Could you let us know what you allow for cash or trade discounts.

We should appreciate it if you could let us know what discounts you offer for large orders.
Would you also forward details of packing and delivery charges as well as terms of payment and discounts.
Prompt delivery is essential and we would need your assurance that you could meet all delivery dates.
We should be grateful if you would forward any further information you may be able to give us about . . .
We can supply the usual trade references.

5.1.4 Frasi di chiusura

We look forward to hearing from you as we should like to make a decision as soon as possible.
We should like to make a decision on this soon, so we should appreciate an early reply.
If the prices quoted are competitive, we shall be able to place regular and substantial orders.

□ 5.2 Risposte a richieste

Thank you for your enquiry of 9 July 19— in which you asked about . . .
Thank you for your enquiry of 9 July 19— about . . .
Enclosed is a copy of our latest catalogue together with our price-list.
current price-list.
are samples of various patterns
qualities
With reference to your telephone enquiry today, we can offer you the following at the prices stated.

5.2.1* Risposte positive

We have pleasure in submitting the following quotation.
Our terms are net, payment due within 28 days from the date of invoice.
We can supply from stock and can meet your delivery date.
We can offer a large variety of . . . at attractive prices.
We can quote advantageous terms for . . .
We are able to supply any quantity of our goods without delay.
For orders of . . . and more we allow a special discount of . . .%.
We can deliver the quantities mentioned in your enquiry from stock . . . days from receipt of the order.
Our usual terms are bank draft against pro forma invoice.
documents against irrevocable letter of credit.
. . .% discount for payment within 28 days.
. . .% discount on net prices for orders over . . .
We can quote you a gross price, inclusive of delivery.

All list-prices are quoted FOB (porto) and are subject to . . .% trade discount paid by letter of credit.
Please note that these prices will be held for . . . days. If an order is not received within that period the prices quoted are subject to change.

5.2.2* Tentativi di persuasione

Once you have seen our product, we are confident that you will find it to be the best value on the market.
You will not be disappointed in this product and our confidence in it is supported by a three-year guarantee.
The discount on offer can be allowed only on orders placed before (data).
We can offer you goods of the very highest quality and if you find them unsatisfactory in any way, you can return them to us without obligation.
We hope you will take full advantage of our exceptional offer.

5.2.3 Risposte negative

We regret we can no longer supply this product and suggest you try . . . (date il nome di un'altra ditta).
Owing to insufficient demand, we no longer produce the . . . you are interested in; however we can supply a similar type and details of these are enclosed.
The product you enquired about is manufactured by us but can only be supplied through one of our agents. Please contact . . . (date il nome e indirizzo del l'agente) who will be pleased to deal with your enquiry.

5.2.4 Frasi di chiusura

If there is any further information you require, please don't hesitate to contact us. Meanwhile we look forward to hearing from you soon.
We hope to have the pleasure of receiving your order for the above and look forward to hearing from you.
We are sure our offer will interest you and look forward to receiving your order.
We hope to hear from you soon and can assure you that your order will be dealt with promptly.
As you can see our prices are extremely competitive and, as they are likely to increase within the next three months, we advise you to place your order as soon as possible.
We recommend that your order is forwarded as soon as possible since supplies are limited.

□ 5.3 Esempi di corrispondenza

Richieste brevi: spesso le richieste brevi vengono mandate per telex o telefax oppure fatte per telefono.

Dear Sir

I visited your stand at the recent Interstoffe Trade Fair. We have a copy of your catalogue and price-list.

Would you let us know if you would change your terms to cash on arrival with 5% discount?

Our agent, Mr Rapfel, will contact you to discuss terms before the end of the month.

Yours faithfully

Dear Mr Tanner

From our mutual friend, Alan Walters, I understand you are interested in selling your machines on this market.

Please let me have your price-lists and literature.

Prices should be calculated for D/A 30 days, CIF and include my commission of 7%.

Yours sincerely

Lettera di quotazioni in risposta ad una richiesta:

Dear Sir

Thank you for your enquiry. We have pleasure in quoting you the following:

Concord Wenda Lighting	ref 984	98.26
Aluminium pole (3500mm)	ref 879	300.25
Aluminium pole (4000mm)	ref 239	312.28
Cable boxes (Group A)	ref 237	38.40
Ditto (Group B)	ref 238	37.98

Relevant information sheets are enclosed. All prices charged are those ruling on the date of despatch.

We look forward to receiving your order.

Yours faithfully

Risposta negativa ad una richiesta:

> Dear Mr Simmons
>
> Thank you for your letter of 16 April, regarding your activity New Sound and Vision; we apologize for the delay in replying.
>
> We are indeed the authorized distributor for MCA gas lasers. We hold a stock of lasers here in Bookham for immediate delivery to customers. Unfortunately we do not have the 50mW HeNe laser in stock. We regret, therefore, that we are unable to make such a unit available for your project.
>
> We have passed your letter to our colleagues at MCA and they have agreed to contact you directly, although we believe they may well have the same stock situation as ourselves.
>
> Yours sincerely
>
> Peter Clarke
> International Sales Manager   cc Mr I Stone MCA

6 Ordini

Gli ordini vengono di solito passati su moduli ufficiali della ditta, o mandati per telex o telefonati. Si dovrebbe mandare una lettera di accompagnamento per confermare i termini.

□ 6.1 Lettere di accompagnamento

6.1.1 Frasi di apertura

Thank you for your quotation of (data). The prices and terms are acceptable and enclosed is our order number . . .

To confirm our order, please find enclosed our order form for (ammontare) (descrizione) for immediate shipment.

6.1.2 Istruzioni e dettagli sulla consegna

Please forward the consignment by air.
Please arrange for delivery by train
Please send the goods by scheduled freighter
by road

Please ensure that the enclosed packing instructions are followed carefully.

The goods must be packed
should be wrapped according to our instructions.
are to be crated
marked

Delivery before November is essential to allow us time to distribute the goods to our outlets by Christmas.

6.1.3* Conferma dei termini di pagamento

As this is our first order with you, we shall pay cash against documents as agreed.
We shall take advantage of the generous discount you offer for prompt settlement.
For the amount invoiced and the charges you may draw on us at . . .days' notice.
We should like to confirm that payment is by irrevocable letter of credit.
Once the order is received, we shall forward a banker's draft.
As agreed payments will be made quarterly.
We should like to thank you for the . . .% trade discount and the . . .% discount on orders over the value of . . . pounds sterling.

6.1.4 Frasi di chiusura

We look forward to receiving your shipment.
advice of despatch.
acknowledgement of . . .
confirmation of . . .
We look forward to dealing with you in the future.
We hope that this will be the first of many satisfactory transactions between us.

□ 6.2 Conferma d'ordine

6.2.1 Ricevimento dell'ordine

Thank you for your order Number . . ., for which we enclose our official confirmation.
Thank you for your letter of . . . and for the order which you enclosed.

6.2.2 Informazioni al cliente sul procedimento dell'ordine

Your instructions have been carefully noted and we hope to have the goods ready for despatch on . . .
Delivery will be made on
next (data).
by
as soon as possible.
within the next three weeks.
We have already made up your order and are now making arrangements for immediate shipment.
The goods were forwarded today by air
will be sent tomorrow by train
by sea

Your order is now being processed and should be ready for despatch by next week.

The processing of your order will unfortunately take up to three months as we are waiting for parts.

As requested, we have arranged insurance and will attach the policy to the air waybill.

6.2.3 Avvisi di consegna

Il fornitore può mandare una lettera o un *Advice Note*, che è un modulo speciale che informa il cliente dell'avvenuta spedizione della merce:

Your Order No . . . was put on board SS (nome della nave), sailing from (posto) on (data) and arriving at (posto) on (data). Enclosed is consignment Note No . . . and copies of your invoice.
Please contact us immediately should any problem arise.

6.2.4 Avvisi al fornitore di mancato arrivo della merce

The goods we ordered on (data) have not yet arrived.

To confirm our telex, we have not yet received Order No . . ., which we understood was shipped on (data).

Our order No . . . should have been delivered on (data) and is now considerably overdue.

6.2.5 Avvisi di ritardi di consegna

Unfortunately there has been a two weeks' delay in delivery. This delay was totally unforeseen and due to a strike by customs officials here.

We were sorry to hear that your order has not yet arrived. We have investigated the cause and found . . .

6.2.6 Annullamenti d'ordine

On (data) I ordered (descrizione della merce) to be delivered at the end of the month. I now find that my present stock is sufficient to meet our requirements for the next month and I should like to postpone the order until further notice. I hope because of our long-standing connection, you can agree to this.

Referring to our Order No . . . of (data), you will remember that we stressed the importance of meeting the delivery date of (data). As we have not yet received the consignment and we have already written to you twice on this matter, we have no alternative but to cancel this order. We regret this but as the goods were required for shipment tomorrow we now have no means of getting them to our clients.

If you have not yet processed our Order No . . . will you please hold up the consignment until further notice.

Please do not send Order No . . . as we have sent you the wrong order.

As we were not entirely satisfied with your last delivery of (merce), would you please cancel our repeat Order No . . .

☐ 6.3 Esempi di corrispondenza

Conferma d'ordine

Our ref TR2314/D
Your ref AP/6887

18 May 19--

Mr T M Payne
Chief Buyer
P Carsons and Co Ltd
Carlton House
Carlton Terrace
Birmingham B3 3EL
UK

Dear Mr Payne

Order No TR2314/D

Thank you for the above order which we are making up.

We have all the items in stock and they should be ready for despatch by next week.

We shall be advising you as soon as we can confirm shipment.

Yours sincerely

Paul Marchmont

Paul Marchmont

Lettera di accompagnamento ad un ordine

Dear Mr Payne

INTERNATIONAL HANDBOOK

I am pleased to enclose a copy of the above. I apologize for the delay in fulfilling your request, which as I explained in my earlier letter was due to depletion of the initial stocks.

Using the Handbook, you can communicate with any compatible equipment in over 60 countries.

May I apologize again for the delay. If you need any further information, contact me on the above number or alternatively leave a message on our Telecom Gold Mailbox 45. PT1000.

Yours sincerely

7 Trasporti

□ 7.1 Termini di consegna

A causa delle diverse interpretazioni sulle quotazioni e i costi di trasporto, la comunità commerciale internazionale ha sviluppato un sistema di termini, chiamati *Incoterms*. La lista completa è disponibile presso la *International Chamber of Commerce* (V. Sezione C 5.2 per l'indirizzo). I più comuni termini di consegna sono:

Ex-works Il prezzo è per merce consegnata ai cancelli della fabbrica, e si deve specificare se il costo dell'imballaggio sia compreso o meno. Il compratore quindi paga il trasporto delle merci.

Free carrier (FRC) Il prezzo quotato copre tutti i costi fino ad un posto convenuto come luogo di carico su un container.

Free on board (FOB) Questa quotazione comprende tutti i costi, incluso l'imballaggio, della merce caricata sulla nave.

Freight carriage paid to (DCP) È la quotazione che comprende il costo della merce, l'imballaggio e il trasporto in container, esclusa l'assicurazione.

Cost, Insurance and Freight (CIF) La quotazione comprende il costo della merce più il nolo e l'assicurazione fino ad un luogo di consegna convenuto nella nazione del compratore.

Cost and Freight (C&F) Come per il CIF, ma l'assicurazione è pagata dal compratore.

Freight, Carriage and Insurance Paid to (CIP) Comprende il costo della merce, l'imballaggio, l'assicurazione e i costi di trasporto in container fino ad un luogo di consegna convenuto.

Delivery Duty Paid (DDP) È la quotazione che comprende tutti i costi di consegna, compresi eventuali tasse o diritti doganali, fino all'indirizzo del cliente.

□ 7.2 Documenti di spedizione

I principali sistemi di trasporto nell'esportazione sono: i containers, il trasporto su strade con traghetto, il trasporto marittimo convenzionale, il trasporto per ferrovia e via aerea. Con la crescita del commercio con l'Europa, il trasporto su strada aumenta costantemente, superando quello marittimo, e sta diventando il sistema principale di trasporto merci. Per una cifra che si aggira tra il 40 e il 50% le esportazioni britanniche viaggiano oggi su strada e la maggior parte del trasporto marittimo avviene in container. Per le esportazioni verso la Comunità Europea, un sistema speciale di controlli noto come *The Community Transit System (CT)* riduce le formalità doganali usando un'unica procedura per l'intero Mercato Comune.

Una *commercial invoice*, o fattura commerciale, è una richiesta di pagamento. Dovrebbe dare una descrizione della merce con prezzi, peso, termini di pagamento e dettagli sull'imballaggio. La fattura commerciale può essere usata per identificare una consegna o per adempiere alla normativa doganale.

La *Bill of Lading (B/L)* marittima è ancora il documento di trasporto più comune per l'esportazione britannica fuori dal MEC.

Le *railway consignment notes* sono usate per il trasporto internazionale in ferrovia.

Il trasporto per via aerea è largamente usato per la consegna di merce urgente o di valore. Il documento di trasporto usato è la *air waybill (air consignment note)*.

Gli esportatori che usano spedizionieri e vettori richiedono un *export cargo shipping instruction* per confermare prenotazioni passate per telefono.

□ 7.3 Richieste

7.3.1 Richieste di quotazione

Please let us know the current freight rate for air
sea
rail
road transport.

We have an order for the despatch of (descrivete la merce) from (luogo) to (destinazione) and we should be grateful if you would quote us your lowest rate.

Would you please quote for collecting from the address above and delivering to (destinazione) the following consignment.

We should like to send (descrivete la merce dando dimensioni e peso) by air. Could you please quote charges for shipment and insurance.

We wish to ship a consignment of (descrivete la merce) weighing (date il peso) and measuring (date le misure) from (luogo) to (destinazione). Could you please inform us which vessels are leaving before the end of the month and quote your freight rates.

7.3.2 Risposte

Freight rates are very high at the moment as few ships are available. The net freight amounts to . . .

We can include your consignment of (descrizione della merce) on our next flight to (destinazione). The departure will be on (data). Our air freight rate for crated consignments is . . .

We can ship your consignment by S/S (nome della nave) closing for cargo on (data) at the following rate . . .

7.3.3 Descrizione sull'imballaggio

All containers have an inner waterproof lining and are clearly marked with the international sign for fragile.
this way up.

Each article is wrapped separately in soft material, boxed individually before being packed in cartons.

The (merci) will be packed into bundles, covered with sacking and secured by metal bands.

□ 7.4 Istruzioni per il trasporto

7.4.1 Istruzioni agli spedizionieri

Could you please pick up a consignment of (descrivete la merce) and make all the necessary arrangements for them to be shipped to (nome ed indirizzo del compratore).

To confirm our telephone call this morning, you will arrange for the following goods to be containerized on (data) to be transported (indirizzo). Enclosed is the completed shipping form and bill of lading with copies of commercial invoices, certificate of origin and import licence.

Please deliver the goods to our forwarding agent's warehouse.

7.4.2 Istruzioni agli agenti

Please insure the goods all-risk and charge it to our account.

Could you please arrange for the collection of (merci) and deliver to (indirizzo).

Please advise us as soon as the goods arrive and keep them in your warehouse until further notice.

7.4.3 Richieste di istruzioni

Please let us have your forwarding instructions for this consignment.

The consignment of (merce) has arrived. Please telex further instructions.

We have warehoused the consignment of (merci) which arrived on (data). We are holding them at your disposal and would like to receive your instructions for them.

□ 7.5 Nolo di una nave

Per consegne di grosse quantità gli importatori possono noleggiare una nave per una particolare spedizione (*a voyage charter*), o per un periodo di tempo (*a time charter*). Il nolo di navi è di solito fatto tramite shipbroker e a Londra esiste un istituto specializzato il *Baltic Exchange*. La maggior parte dei noli è fatta per telex o per cablogramma e più tardi confermata per lettera.

7.5.1 Richieste di nolo

We should be glad if you could charter a vessel for us to carry a cargo of (merce) from (luogo) to (luogo).

Please arrange for a suitable ship for (descrivete la merce, peso e misure) to be shipped from (luogo).
This letter is to confirm our cable to you today in which we asked if you could find a ship which we could charter for an initial period of three months to take shipments of (descrivete la merce) from (luogo) to (luogo).
We should like to charter a vessel for one voyage from (luogo) to (luogo) to take a consignment of (descrivete la merce, peso e misure). Please advise us if you can obtain a vessel and let us know the terms.

7.5.2 Risposte a richieste di informazioni sui noli

To confirm our phone call to you today, we have an option on (nome della nave).
She has a cargo capacity of (numero) tons which is larger than you require but the owners are willing to offer a part charter of her.
The owner of (nome della nave) have quoted (ammontare) per ton which is a very competitive rate.
Enclosed is a list of several available vessels. If you tell us which of them you would consider suitable, we shall be pleased to inspect them.
We are pleased to inform you that we have been able to secure the (nome della nave) for you. Please telex us to confirm the charter.
With reference to your enquiry of (data), we regret we have not been able to find the size of ship you require for (data). The terms are (ammontare) per ton. Please telex your confirmation as soon as possible as we have many enquiries for ships of this size.

□ 7.6 Assicurazioni

Per assicurare merci contro perdite o danni le ditte chiedono quotazioni a diverse compagnie di assicurazione o si informano presso un agente. La ditta poi completa un modulo detto *proposal form*. Contro pagamento di un *premium* l'assicuratore si impegna a pagare una cifra stabilita se dovesse verificarsi una qualche perdita o danno. Il premio è stabilito in pence per cento. Così se le merci sono assicurate a 25p% si deve pagare 25 pence per ogni 100 sterline di cui è composto il valore della merce. Una *cover note* è il contratto che assicura la merce fin a quando non sia preparata la *policy*. Una volta che la polizza è pronta, il cliente è *indemnified*, cioè sarà rimborsato in caso di perdita o danni.

7.6.1 Richieste di quotazione

We wish to insure the following consignment against all risks for the sum of . . .
We should be grateful if you would quote for an open cover for (ammontare) against all risks to insure our regular consignments of (merce) from (luogo da cui partono le merci) to (luogo dove le merci sono destinate).
Oppure:
Please quote your rate for an all-risks open policy for (ammontare) to cover shipments of (merci) from (luogo) to (luogo).

We require cover as from (data).
A competitive quotation would be appreciated.

7.6.2 Offerte di quotazione

We are prepared to insure the consignment in question at the rate of . . .
We have received quotations from various companies and are able to obtain the required insurance at . . .p%.
We can offer you the rate of . . .p% for a total cover of (ammontare).
We suggest a valued policy against all risks for which we can quote . . .p%.

7.6.3 Istruzioni ad una compagnia di assicurazioni o ad un agente

Please arrange insurance cover on the terms quoted.
We have been instructed to accept your quotation for . . .p% to cover (descrivete la merce). Please arrange the necessary cover and send us the policy as soon as possible.
The terms you quote with 5% discount for regular shipments are acceptable. Our first shipment will be on (data) and we look forward to receiving the policy within the next few days.
We require immediate cover for (ammontare). We should be grateful if you would let us have the policy as soon as it is ready. In the meantime, please confirm that you hold the consignment covered.
We should be grateful if you would arrange insurance for the invoice plus . . .%.

7.6.4 Richieste di rimborso a compagnie di assicurazione

A consignment of clothes covered under policy No . . . was stolen in transit. Please send us the appropriate claim form to complete.
Our consignment of (merce) arrived damaged by sea water. We estimate the damage caused at (ammontare) and enclose copies of the report of the survey made at the time.

□ 7.7 Problemi

7.7.1 Mancato arrivo della merce

We have not yet received the consignment of (descrivete la merce) which were supposed to have been sent on (data). Would you please look into this for us.
Our client's customers (nome della ditta) have not received their consignment of (merce), B/L 389587, and they would like to know why there has been a delay.
We took delivery on (data) of (merci); however there were three crates missing. Would you please investigate the whereabouts of the missing goods.

7.7.2 Danni o perdite

Yesterday we took delivery of our order No . . . Although the crates were undamaged, we found on unpacking a number of breakages. A list of these is attached.

We should be grateful if you would arrange for replacements of the following articles to be sent as soon as possible.

We have reported the damage to the carriers and have kept the case and contents for inspection. We regret to report that our consignment of (merce) was delivered yesterday in an unsatisfactory condition. A detailed list of the damaged articles is enclosed. As you will be claiming compensation from the carrier, we shall be happy to supply any further information.

The shipment of clothes (Order No . . .) arrived yesterday and it was clear that the boxes had been broken open and articles removed. As the sale was on a CIF basis, we suggest you inform your forwarding agents regarding compensation. We estimate the value of the damage at (ammontare).

□ 7.8 Esempi di corrispondenza

Telex che informa un cliente che l'ordine è pronto. Il fornitore ha necessità di sapere il nome dello spedizioniere del cliente in modo da prendere accordi per la consegna:

ATTN: PELE
1 YOUR ORDER IS READY TO SEND. PLEASE LET US KNOW WHICH FREIGHT COMPANY YOU WOULD LIKE US TO SEND IT TO.

2 WE HAVE SENT THE REMAINING PIECES BY POST.

BEST REGARDS
ADAM PEARSON

Lettera inviata dal fornitore per informare il cliente che l'ordine è stato spedito:

Dear Sirs

Advice of shipment

We are pleased to inform you that the following order has been shipped and we are enclosing the relevant copies of shipping documents for your reference.

Your Order No	PM/1345D
Our Sales Note No	860123
Your L/C No	IMPI/1657/A
Commodity	Surfboards and accessories
Invoice Amount	US$ 2,460
Ocean Vessel	'ANNA-MAERSK' 7694
Shipping Date	18 October 19____

We hope that the goods will reach you in good order and give you complete satisfaction.

Yours faithfully

Messaggio per telefax per informare il cliente che è avvenuto un cambiamento nella data di consegna dell'ordine:

Dear Sirs

Shipment on 17/7 through "Bravo" 3481

We are sorry to inform you that the above shipment has to be changed to "ARILD MAERSK" 3879 on 19 July as the shipping company changed the shipping day.

We hope this does not cause any inconvenience to you.

Yours faithfully

8 Il pagamento

□ 8.1 Metodi di pagamento

8.1.1 Le banche nel Regno Unito

Ci sono due tipi di banche: le *merchant banks* e le *commercial banks*:

Le *Merchant banks* offrono servizi a grandi complessi e sono specializzate in finanza internazionale, trattano compagnie di navigazione, assicurazioni e operazioni in valuta estera.

Le *Commercial banks* possono offrire gli stessi servizi delle *merchant banks*, ma il loro interesse principale è rivolto verso il cliente privato, sia individuo che ditta, al quale offrono servizi di sportello e credito a breve-medio termine. Hanno numerose filiali in tutto il Regno Unito. Le banche principali sono: Lloyds, National Westminster, Barclays e Midland.

8.1.2 Metodi di pagamento nel Regno Unito

Bank Giro Credit Transfer (chiamato anche *bank transfer, trader's credit* oppure *bank giro*) è il pagamento effettuato attraverso una banca senza inviare assegni per posta; il credito viene trasferito dalla banca del debitore a quella del creditore.

Banker's draft è emessa da una banca a favore di un creditore nominato, in pagamento di un ammontare dovuto, normalmente pagabile su presentazione. Si usa per pagare grosse somme di denaro quando un pagamento per assegno di conto corrente non è accettabile.

Cash in registered envelope ottenibile presso gli uffici postali. (V. Sezione C 1.4.3 e 3.)

Cash on delivery è un servizio della Poste. (V. Sezione C 1.4.3 e 3.)

Cheque emesso da una banca o dalle Poste (*Girobank*), accompagnato dalla cheque card o banker's card.
Gli assegni possono essere *open*, per pagamenti in contanti, oppure *closed* per pagamenti su conto corrente di un cliente. *Closed* oppure *crossed* significa che due righe parallele verticali sono tracciate sull'assegno per renderlo pagabile solo su un conto bancario. Gli assegni nel Regno Unito sono validi fino a sei mesi. Anche le *Building Societies* offrono servizi di conto corrente.

Credit card emessa da una banca, da Access, American Express, Diners Club, ecc, è usata per acquisti di beni o servizi a credito.

Direct debit è un sistema utilizzato da chi ha un conto in banca. Con questo sistema il *payee* (creditore) è autorizzato a prelevare dal conto somme periodiche in pagamento.

Post Office Girobank. (V. Sezione C 1.4.3 e 3.)

Postal order è emesso dalla Poste in vari tagli fino a 20 sterline.

Standing (banker's) order emesso da una banca per un cliente che ha un conto corrente presso la banca stessa. Il cliente autorizza la banca ad effettuare pagamenti periodici ad una persona o ditta.

8.1.3 Metodi di pagamento per l'estero

Bank transfer è il pagamento trasferito da una banca nazionale ad una banca estera. La rimessa può essere inviata per posta aerea come *Mail Transfer*, per telex come *Telegraphic Transfer*; o per *SWIFT (Society for Worldwide Interbank Financial Telecommunications)*. Ogni messaggio SWIFT standardizzato contiene istruzioni sulla rimessa ma non c'è addebito o accredito nel senso fisico del termine. Non tutte le banche hanno, per il momento, aderito alla società.

Bill of exchange o *sight draft* è comunemente usata per l'esportazione. La tratta stabilisce che il compratore pagherà al venditore una certa cifra entro un tempo concordato. La tratta può essere mandata per posta o tramite banca. Una tratta si dice *clean* quando il compratore accetta una tratta e la restituisce al venditore. Il venditore può allora inviare la tratta alla sua banca che la spedirà alla sua corrispondente nel paese del cliente straniero. La banca estera presenterà a quest'ultimo la tratta per pagamento alla data stabilita. Normalmente il compratore deve accettare la tratta firmandola prima che la merce parta.

Documents against acceptance o *documentary collection* significa che la banca corrispondente rilascerà i documenti di titolo alla merce solo contro pagamento o accettazione della tratta.

Credit cards (Vedi sopra.)

Documentary credits o *Letters of Credit* sono emessi dalla banca del compratore che dà informazioni sulle merci, l'ammontare, il tipo di credito (revocabile o irrevocabile), la durata della validità del credito e su quali documenti siano necessari, per esempio documenti che si riferiscono al trasporto, all'assicurazione, ecc. La lettera di credito garantisce che la banca emittente pagherà il venditore, fino ad un ammontare specificato entra una certa data, dietro presentazione di una tratta accettata accompagnata dai documenti di trasporto specificati.

Eurocheques possono essere emessi da una banca inglese dove si ha un conto. Possono essere emessi nella valuta del paese dove volete inviarli. Una *Eurocheque card* può essere usata per ritirare valuta locale nel paese che state visitando. Potete ottenere dalla vostra banca una lista degli uffici dove questo servizio è fornito. Gli *Eurocheques* possono essere usati nel Regno Unito. Possono essere incassati nelle banche e sono accettati nei negozi, negli alberghi, nelle stazioni di sevizio, ecc., in 39 nazioni europee. Fate attenzione al simbolo *EC* rosso e blu, l'operatore economico che lo espone aderisce al sistema *Eurocheque*.

International banker's draft è il sistema per cui il compratore ha un contratto o un conto con la banca del fornitore. Il cliente compra un assegno dalla banca e lo manda al fornitore.

International Giro può essere usato sia che il fornitore o il compratore abbiano un conto o meno. Il fornitore riceve un assegno per posta nella valuta della nazione interessata.

□ 8.2 Pagamenti

8.2.1 Istruzioni alla banca

Please transfer the equivalent in sterling of (ammontare) to (nome della banca) in favour of (nome della ditta o persona), debiting it to our account.

Please would you send the enclosed draft on (nome della ditta) and documents to the (nome della banca) and instruct them to release the documents on acceptance.

We are enclosing documents including the Bill of Lading, Invoice, Insured Cover and Certificate of Origin to be surrendered to (nome della ditta) against payment of (ammontare.).

You will shortly be receiving a bill of exchange for (ammontare) and the relevant documents from (nome della ditta). Would you please accept the draft and forward the documents debiting our account.

Please open irrevocable documentary credit for (ammontare) in favour of (nome della ditta). Enclosed is the completed application form.

Please open an irrevocable credit of (ammontare) in favour of (nome della ditta) available to them until (data) payable against documents in respect of a shipment of (descrivete la merce).

8.2.2* Informazioni date ai clienti

As agreed we have forwarded our bill No . . . for (ammontare) with the documents to your bank, (nome della banca). The documents will be handed to you on acceptance.

Enclosed please find bills in duplicate for collection with the documents attached.

The draft has been made out for payment 30 days after sight and the documents will be handed to you on acceptance.

We have drawn a sight draft which will be sent to (nome della banca) and presented to you with the documents for payment.

Thank you for sending us the documents for our order No . . . We have accepted the sight draft and the bank should be sending you an advice shortly.

We have instructed our bank to arrange for a letter of credit for (ammontare) to be paid against your pro forma invoice No . . . The amount will be credited to you as soon as (nome della banca) receives the documents.

We are pleased to tell you that your order No . . . has been shipped on (nome della nave) due to arrive in (luogo) on (data). The shipping documents, including the bill of lading, insurance policy, certificate of origin and consular invoice have been passed to (nome della banca) and will be forwarded to your bank who will advise you.

The bill of exchange No . . . was returned to us from our bank today and marked 'Refer to Drawer'. As the bill was due 5 days ago we can only assume that it has been dishonoured. We shall present it to the bank again on (data) by which time we hope that the draft will have been met.

A cheque drawn by you for the amount of (ammontare) has been returned to us by our bankers marked 'words and figures differ'. The cheque is enclosed and we should be glad to receive a corrected one.

8.2.3* Informazioni date al fornitore

Da parte del compratore:

We have instructed our bank (nome della banca) to open an irrevocable letter of credit for (ammontare) in your favour. This should cover transport, shipment and bank charges and is valid until (data).

We have instructed (nome della banca) to open an irrevocable letter of credit in your favour which will be valid until (data). The bank will accept your draft on them at (numero) days for the amount of your invoice.

Da parte della banca:

Enclosed is a copy of the instructions we received yesterday from (nome della banca) to open an irrevocable letter of credit in your favour for (ammontare) which is available until (data). As soon as you provide evidence of shipment, you may draw on us at 60 days.

We have received instructions from (nome della banca) to open an irrevocable letter of credit in your favour which will be vaild until (data). You are authorized to draw a (numero) days' bill on us for the amount of your invoice after shipment is effected. We shall require you to produce the listed documents before we accept your draft, which should include all charges.

8.2.4 Richieste di pagamento

Enclosed is our invoice amounting to . . .
a statement of your account
our monthly statement
the pro-forma invoice No . . .

We should be grateful if you would forward your remittance in settlement of the enclosed invoice.

The shipping documents will be delivered against acceptance of our draft.

As arranged, we are attaching our sight draft on you for . . . to the shipping documents and are forwarding them to our bank.

8.2.5 Esecuzione di pagamento

Enclosed is our bank draft for . . .as payment on pro-forma invoice No . . .

In payment of our account, we enclose a draft on . . .

In settlement of your invoice No . . . we enclose a draft which at today's rate of exchange is equivalent to . . .

We have pleasure in enclosing your bill of exchange for . . .

We have arranged payment of this through the . . . Bank in settlement of . . .

You may draw on us at sight for the amount of your invoice.

Enclosed is your accepted bill of exchange for . . .

8.2.6* Richieste di estensione del credito

As we have now been trading for some time, we should be grateful if you would consider allowing us to have open account facilities to allow us to settle our accounts on a monthly basis.

We intend to place substantial orders with you in the near future and we should like to know what credit facilities your company offers.

As we have always settled promptly with you in the past, would you let us know if we could settle future accounts on quarterly terms with payments against statements.

As we have been dealing with one another for some time, we should like to be allowed open account facilities. Of course we can supply references.

8.2.7 Richieste di referenze

Se si compra da una ditta per la prima volta, si dà di solito il nome di alcune ditte dalle quali si è già comprato. È il sistema delle *trade references* che sono usate per scoprire se una ditta paga puntualmente. Il cliente può anche dare il nome della sua banca alla quale rivolgersi per avere informazioni. Una richiesta di referenze dovrebbe essere scritta così:

1. Richiesta di informazioni generali sulla solidità finanziaria del futuro cliente: (Nome della ditta) wish to open an account with us and have given your name for a reference. We should be grateful if you would supply us with information about the firm's standing.
2. Richiesta di un parere sulla capacità di una ditta a pagare entro certi limiti:

While we are confident of their ability to clear their accounts, we would like confirmation that their credit rating warrants quarterly settlements of up to (ammontare).

3. Dite che l'informazione sarà trattata come riservata e confidenziale:
   It is hardly necessary to add that any information you supply will be treated in the strictest confidence.
4. Allegate una busta affrancata poichè vi stanno facendo un favore:
   Enclosed is a stamped, addressed envelope and we should be grateful for an early reply.

8.2.8 Risposte positive sulla solidità di una ditta

We have contacted (nome della ditta) and they confirm they want us to act as referees on their behalf.

The firm is well known to us.
has been a regular customer of ours for (tempo).
has been established here for (tempo).
has been doing business with us for (tempo).

They have always paid their accounts promptly on the due dates.

We would not hesitate to grant them the credit facilities you mention.

8.2.9 Risposte negative sulla solidità di una ditta

Quando un rapporto è negativo, fate attenzione a non citare il nome della ditta per non incorrere in una causa per diffamazione:

In reply to your letter of (data), we would advise some caution in your dealings with the firm you mention.

The company mentioned in your letter of (data) have not always settled their accounts on time and the amounts involved have never been so high as the sum mentioned in your letter.

Ricordate sempre a chi vi chiede informazioni che quanto state affermando è strettamente confidenziale e che non ve ne assumete alcuna responsabilità:

This information is given in the strictest confidence and without responsibility on our part.

8.2.10 Rifiuto di credito

Thank you for your order of (data). As the balance of your account now stands at (ammontare), we hope you will be able to reduce this before we can offer you credit on further supplies.

Although you have been doing business with us for some time now, we are not in a position to offer credit facilities to any of our customers because of our small profit margins. I hope you will understand our position and hope we can continue to supply you with (merce).

8.2.11 Come accusare ricevuta di pagamento

Our bank has told us that the amount of your letter of credit has been credited to our account.

We acknowledge with thanks your draft for invoice No . . .
Thank you for your prompt payment.

8.2.12 Contestazioni sulla fatturazione

On checking your invoice No . . ., we find that our figures do not agree with yours.
You have omitted to credit us with the agreed discount on invoice No . . .
It seems you have charged for packing which we understood was covered in your original quote.
The charge for delivery seems rather high.

8.2.13 Verifiche e accordi

Thank you for drawing our attention to the error in our invoice of (data).
Please find enclosed our amended invoice.
You are correct in assuming a . . .% discount on large orders. As your order did not exceed . . . units, we are afraid that this discount cannot be allowed.
We are afraid there seems to be some misunderstanding as we specified that our quotation did not include the cost of packing. This cost has been itemized separately on the invoice.

8.2.14 Solleciti

Primo sollecito:
May we draw your attention to our invoice of . . . As we have not yet received your payment, we should be grateful if you would send your remittance as soon as possible. If you have already sent the required amount, please ignore this reminder.
Our invoice was sent to you on . . . A copy is enclosed. As no advice of payment has been received from our bank, we should be glad if you would arrange for it to be settled.
We are writing concerning your outstanding account of . . . As the account has not yet been cleared, could you please forward your remittance as soon as possible.
Secondo sollecito:
Enclosed is a statement of your account with us. We feel sure that its settlement has been overlooked, but as this is the second reminder, we must insist that payment be made within the next seven days.
We wish to remind you that our Invoice No . . . dated . . . is still unpaid and ask you to give the matter your immediate attention.
We were sorry not to have received a reply to our letter of . . . reminding you that our draft against Invoice No . . . has not been accepted yet. We must request payment of the amount due without further delay.
We wrote to you on . . . asking for payment of Invoice No . . . As we are reluctant to put this matter in the hands of our solicitors, we are offering you a further ten days to settle the account.

Sollecito finale:

We had hoped that your January account would have been cleared by now. We sent reminders and copies of your statement in February and March asking you to clear the balance. Unless we have received your remittance within seven days, we shall hand the matter to our solicitors.

We have written to you twice on . . . and on . . . to remind you of the outstanding amount on our Invoice No . . . which is now three months overdue. As we have not received any reply from you, we shall have to take proceedings unless payment is received within the next seven days.

8.2.15 Richieste di dilazione

We are sorry we have not been able to clear our overdue account. Unfortunately the consignment has not yet been sold owing to a new government regulation requiring us to modify our assembly plant. Could you possibly allow us . . . days to clear the account?

We apologize for not replying to your letter of . . . requesting us to settle our overdue account. As we are temporarily in financial difficulties, we should be most grateful if you would allow us a further . . . days.

I am sorry to tell you that I will not be able to pay the full amount on our Invoice No . . . I should be most grateful if you would accept part payment immediately and the remainder to be paid over the next . . . months.

8.2.16 Risposte a richieste di dilazione

We were sorry to hear of your present difficulties. Under the circumstances we are prepared to allow you a further . . . weeks in which to settle the account.

We understand your position but our circumstances do not allow us to wait any longer for payment. We have instructed our solicitors to recover the amount but if you have any suggestions to make please get in touch with us immediately.

□ 8.3 Esempi di corrispondenza

Messaggio telefax per chiedere ad un cliente di aprire una Lettera di Credito per il suo ordine e per informarlo sulla data di partenza della merce:

Dear Sir

Order S/C No 484960

Please open L/C for the above order as soon as possible to avoid any delay in shipment. Please also advise us of the L/C No.

The goods will be shipped by "Luna Maersk" on 12 June.

Please confirm by fax your most recent order No S/C 484987 so we can proceed.

Yours faithfully

Telex per informare il fornitore che è stata aperta una Lettera di Credito:

ATTN:PERRY

L/C FOR USD 7,234.60 SENT VIA LLOYDS BANK, LONDON TO LLOYDS BANK, TAIPEI AS PREVIOUSLY. L/C NO IS IMP2/4655/A.

BEST REGARDS
IMPULSE LEISURE LTD

Lettera per informare un cliente che la sua linea di credito è stata chiusa.

Dear Mr Palmer

It has been brought to our attention that our Accounts Department are experiencing continual problems with obtaining prompt payment of our invoices; it appears that you are taking more than three months credit from the date of our invoice, when our terms are clearly 30 days net. We, therefore, regret that all future orders from your company will only be delivered on a Cash Against Documents basis.

Yours sincerely

9 Contestazioni e scuse

□ 9.1 La contestazione

Le contestazioni dovrebbero essere affermazioni di fatto. Non usate termini forti od offensivi. (V. anche Sezione A 3.5 sullo stile delle lettere commerciali.)

Parole fortemente emotive		**Meglio dire**
We are	disgusted	*surprised*
	infuriated	*inconvenienced*
	outraged	*dissatisfied*
	shocked	
	annoyed	
It is	disgraceful	*regrettable*
	scandalous	
	shameful	

9.1.1 Dite a che cosa vi riferite

I am writing with reference to . . .
With reference to . . .
Yesterday we received order No . . .

9.1.2 Dite il problema

We were surprised to find that the complete order was not delivered.
We found that parts . . . were missing.
I found the service was not up to the usual standard.
We have not yet received the goods.

9.1.3 Offrite una soluzione

Under the terms of the guarantee, we should be most grateful if you would send a replacement.
If you could deduct £ . . . from our next order, we feel that this would settle the matter.
We shall return the consignment as soon as we hear from you.
We must ask you to replace the damaged goods.
Please credit us with the value of the returned goods.
We are prepared to keep the goods at a substantially reduced price.

9.1.4 Date una spiegazione

The goods were delayed as they were sent to our previous address.
The account sent to us was for a Mr T James and our account name is T W James.
The consignment was not labelled according to our instructions.
The printer was inadequately packed and the automatic feed appears to be jammed.

□ 9.2 Risposte alle contestazioni

9.2.1 Come accusare ricevuta di reclamo

We have received your letter of . . . telling us that . . .
Thanks for your letter of . . . informing us that . . .
telling us that . . .
We are sorry to hear that . . .
I was extremely sorry to learn from your letter of . . . of the problems you have experienced with . . . you recently purchased from us.

9.2.2 Dite che cosa avete intenzione di fare

We have started enquiries
an investigation to discover the cause of the problem.
We have taken the matter up with the forwarding agents and shall inform you of the results.
Having investigated the cause of the problem we have found that the mistake was made because of an accounting error.
Unfortunately our packers were not aware of the special instructions for packing this consignment but we have now taken steps to prevent such a misunderstanding in future.

We have asked the Chief Steward on that flight to make a full report of the incident.

I have made arrangements for our service engineer to contact you as soon as possible, so that he may call to inspect the . . . Once the goods have been inspected and proved to be defective, he will be pleased to supply a replacement.

9.2.3 Offrite una soluzione

The error has been adjusted on our computer and the problem will not be repeated.

Enclosed is a credit note to cover the value of the goods.

Any damage occurring in transit is the responsibility of the carrier and we have reported the matter to the carriers in question..

Please retain the crate and the damaged items for inspection by our representative.

9.2.4 Le scuse

We are sorry if this delay has caused any inconvenience. We are confident that such an unfortunate misunderstanding will not happen again.

We have been supplying high-quality china for over 15 years and are confident in our ability to provide an excellent service. We hope that this problem will not deter you from buying from us in the future.

Please accept our apologies for the problems caused by this error. We can assure you that this particular fault is rare and is very unlikely to recur.

□ 9.3 Esempi di corrispondenza

Una contestazione:

Dear Mr Clifford,

Order No 2235

We have just received a consignment of 400 Dune wallets although our order was for Oasis.
It appears there must have been some misunderstanding.
We shall return the consignment for replacement. Please credit our account with the shipping costs.

Yours sincerely,

Una risposta:

Dear Mr Sykes

Order No 22235

We were sorry to learn from your letter of 14 March that the wrong goods were sent.
If convenient, we should like you to keep the Dune wallets as our agent Mr Ross will contact you to arrange for their collection. Should you decide to keep them, we can allow 45 days net for payment instead of our usual 10 days.
The Oasis wallets have been airfreighted today through Danzas.
We apologize for the delay in delivery and the inconvenience caused.

Yours sincerely

10 Varie

□ 10.1 Ospitalità

10.1.1 Offerte di aiuto ed ospitalità

We were delighted to hear that you are planning to visit next month.
It is a pity your wife cannot join you – perhaps next time.
As this is your first visit here, we hope you'll have time to do some sight-seeing which we'll be happy to arrange for you.
When the dates are confirmed, please let us know so that I can make hotel arrangements. I can meet you at the airport and take you to the hotel.
We are looking forward very much to seeing you here.

10.1.2 Ringraziamenti per l'ospitalità ricevuta

Thank you for all your help and hospitality during my recent visit.
My stay was invaluable and I am most grateful for all the visits you arranged as well as the information and contacts I was able to gain.
I hope I can return your kindness in the near future.

10.1.3 Presentazioni di un consociato in affari

The bearer of this letter is (nome) and he/she is (titolo o incarico professionale) who is visiting (luogo) to establish contacts in (tipo di affari).
You may remember that we wrote to you about his/her visit. We should be grateful if you would introduce him/her to some of your associates.
We should be delighted to reciprocate your co-operation at any time.

10.1.4 Invito formale

Scritto in terza persona senza vocativo e formula di congedo, ecc.

The Chairman and directors of (nome della società) request the pleasure of (nome della persona)'s company at a dinner to be held at (luogo) on (data) at (ora).

(Evening dress)

RSVP
(indirizzo)

10.1.5 Risposta ad un invito formale

(Nome/i) thank the Chairman and Directors for their kind invitation to the dinner on (data) which they have much pleasure in accepting / which they are unable to accept owing to a previous engagement.

10.1.6 Invito amichevole

My wife and I are having some friends over for dinner on (data) and we should be delighted if you could join us for the evening. We do hope you can come and are looking forward to seeing you.

10.1.7 Invito informale allegato ad una lettera

After the meeting my husband and I would like you to join us to go and see/hear (titolo del concerto, opera, commedia ecc.). I've got tickets for the (ora) performance which would give us time to have something to eat before it starts.

10.1.8 Risposte ad inviti amichevoli

Thank you so much for your kind invitation and I should be delighted to join you on (data).
I'm looking forward to it.

Thank you very much for your kind invitation. I should have loved to come but as I have to be back in (luogo) on (giorno) I shall have to leave straight after the meeting. Perhaps we can arrange to spend some time together on my next trip over.

□ 10.2 Appuntamenti

10.2.1 Dare e confermare un appuntamento

I am planning to be in (luogo) next month, and was wondering if we could arrange a meeting to discuss (argomento). Perhaps I can phone you when I arrive to fix a date.

I am writing to confirm our telephone conversation this morning. We shall meet at your office on (data) at (ora). I am looking forward to seeing you again and finalizing the details on the contract.

10.2.2 Come annullare un appuntamento

As I explained on the phone this morning, I am sorry that I will not be able to keep the appointment I made for (data). Unfortunately I have to deal with a problem which has arisen in our New York office. I apologize for the inconvenience this must cause you and shall get in touch as soon as I return to London.

□ 10.3 Prenotazioni

10.3.1 Fare/confermare una prenotazione

Alberghi:

This is to confirm our phone call this morning in which I booked a single room for two nights from 14–16 May in the name of (nome). Enclosed is a Eurocheque for (ammontare) as deposit.

Your hotel has been recommended to me by (nome) who regularly stays with you. I should like to book a double room with en suite bathroom from 15–17 September inclusive.

Would you please let us know if you have available 12 single rooms from (data) to (data). We intend to hold our annual refresher course at this time and would also require conference facilities. I should be grateful if you could let us know if you can accommodate us and send details of your terms as soon as possible.

My wife and I intend to spend three days in (luogo) arriving on (data). Please let me know if you could reserve a double room with a private bathroom. Could you also send details of your charges.

Viaggi:

I want to fly to (luogo) on (data) returning on (data). If no flights are available on that date, please let me know the first available dates.

I should like to reserve a seat on the flight to (luogo) from (aereoporto) on (data) and returning on (data).

To confirm our telephone conversation this morning, would you please book a return ticket on the Dover – Ostend car ferry in the name of (nome) for (data). (Nome) will be travelling with his car, a (marca dell'auto). He will confirm the date of his return journey in France.

I am planning a business trip to northern Spain in March and I am interested in hiring a self-drive car for approximately two weeks. Would you please forward your rates and the availability of a small hatchback from (data) to (data).

□ 10.4 Lettere di cortesia

10.4.1 Ad un collega malato

We were all so sorry to hear that you have been ill.

I only heard about it this morning when I phoned your office. I understand you are over the worst and hope to be back at work next month.

All of us in the office are relieved to learn that you are making such good progress and we all send our best wishes for a speedy recovery.

10.4.2 Per la morte di un collega

We were deeply sorry to hear about (nome)'s tragic death. The news shocked us all particularly after seeing her so recently and in such good health.

I know she will be greatly missed by all your staff and I shall certainly miss her integrity and good humour in my business dealings with her.

Would you be so kind as to pass on our condolences to her husband and family.

10.4.3 Ringraziamenti per condoglianze ricevute

I should like to thank you for your kind letter of condolence on (nome)'s death.

We have all been comforted by the kind letters we have received. All who knew (nome) had many good things to say about her and this proof of the affection and esteem in which you held her has helped us through this difficult time.

□ 10.5 Congratulazioni

10.5.1 Per una promozione

I am writing to send you my warmest congratulations on your recent appointment as (incarico). We are delighted that your hard work and initiative have been recognized in this way and we can truly say we know of no one who deserves this post more than you.

We wish you every success.

10.5.2 Per la nascita di un bambino

We heard on phoning your office this morning that you are the proud father of a baby boy/baby girl. We all send you and your wife our congratulations and we hope you will accept this small gift to show how pleased we are for you.

□ 10.6 Richiesta di lavoro

I should like to be considered for the post of (incarico) as advertised in (nome del giornale/rivista) of (data).

Since I entered the field of (tipo di lavoro), I have always had a high regard for your products and would be delighted to have an opportunity to work for your company.

Enclosed is my curriculum vitae. I can make myself available for an interview at any time.

□ 10.7 Esempi di corrispondenza

Una lettera che conferma un appuntamento già preso per telefono:
Notate: on (data)
at (ora)
at (luogo preciso)

Dear Roberta

Following my telephone call yesterday, I am writing to confirm our appointment at 3.00pm on Thursday 30 January at your office.
I look forward to seeing you again then.

Yours sincerely

Daphne White

Telex di ringraziamento per l'ospitalità ricevuta da un fornitore (V. Sezione B 2.2, 2.3 e 2.5 per il linguaggio telex).

ATTN: ALL FUNMAKER STAFF

ARRIVED BACK SAFELY THIS MORNING AFTER MY ENFORCED HOLIDAY IN HONGKONG THANK YOU FOR YR KIND HOSPITALY WHICH MADE MY VISIT SPECIALLY MEMORABLE
THANKS AGAIN

BEST REGARDS

SVE CONSTABLE

Notate: Il mittente scrive ENFORCED as his flight was delayed.
HOSPITALITY è abbreviato in HOSPITALY.
STEVE è abbreviato in SVE (il destinatario deve conoscerlo).

Telex che fissa un incontro con un fornitore:

ATTN PERRY

THKS FOR YR TLX. I LOOK FORWARD TO SEEING U AGAIN AT MUNICH. INSTEAD OF SENDING THE FREIGHT TO US NY TNT SKYPAK, CAN U BRING IT TO MUNICH N I WILL COLLECT. I WILL BE IN GERMANY FROM 29 AUGUST ONWARDS SO PLS ADV YR HOTEL N PHONE NO SO I CAN CONTACT U.
DO YOU HAVE A BOOTH AT ISPO? IF U HV PLS ADV HALL N BOOTH NO N I WILL MEET YOU THERE.

BR

ADRIAN

Notate: TNT SKYPAK è un corriere aereo.
ISPO è una fiera industriale.

Telex con invito a partecipare ad un seminario:

THIS TELEX IS TO INVITE YOU TO A SEMINAR ON 14 APRIL TO BE HELD AT THE CONNAUGHT ROOMS LONDON. THE THEME OF THE DAY WILL BE (argomento) AND THE SPEAKERS WILL BE:

(nomi) (titoli)

THE PROGRAMME FOR THE SEMINAR WILL BE AS FOLLOWS:

12.30 FOR 1.00PM LUNCH
14.00 PANEL DISCUSSION
16.00 FINAL SUMMARIES
17.30 MEETING CLOSES

ALL DELEGATES ARE INVITED TO SEND QUESTIONS ON THE RELEVANT THEME WHICH WILL BE VETTED BY THE SUB-COMMITTEE BEFORE PRESENTATION BY THE CHAIRMAN TO THE PANEL.

THE COST OF THE MEETING WILL BE £25 PER HEAD.

CONTACT: (nome, indirizzo, e numero di telefono dell'organizzatore)

SEZIONE B: LA COMUNICAZIONE NEL MONDO DEGLI AFFARI

1 Il telefono

□ 1.1 Come dire lettere e numeri

1.1.1 Numeri del telefono

I numeri del telefono inglesi si dicono a gruppi di due. Si formano i gruppi a partire da sinistra:

458974 – four five, eight nine, seven four
Dite 'oh' per 0 – 4303 four three, oh three
Se nel gruppo di due si hanno due numeri uguali dite *double*. Se due numeri uguali non sono nello stesso gruppo, diteli separatamente:

880824 – double eight, oh eight, two four
800192 – eight oh, oh one, nine two

Se un numero ha tre, cinque o sette cifre, lasciate una pausa dopo la terza cifra:
3759792 – three, seven five, nine seven, nine two
Tutti i numeri di telefono hanno un prefisso davanti; questi prefissi si riferiscono al distretto telefonico e si trovano all'inizio dell'elenco del telefono. Tutti i numeri di Londra hanno il prefisso 01, se chiamate da fuori Londra. I prefissi possono essere indicati sulla carta intestata delle ditte o come tali o con il nome del distretto: Hastings 34529 oppure (0424) 34529. Se siete nello stesso distretto telefonico non è necessario fare il prefisso, per esempio se siete ad Hastings farete solo il 34529.

In inglese americano:
415 – 224 – 4531 – Area code four one five, two two four, four five three one

1.1.2 Altri numeri

Controllate di saper dire gli altri numeri e le misure:

¼ a quarter	25%	twenty-five percent	0.25 (nought) point two five
⅓ a third	33⅓%	thirty-three and a third percent	0.33 (nought) point three three
½ a half	50	fifty percent	0.5 nought point five or point five
⅔ two thirds	66%	sixty-six percent (approximately)	0.66 (nought) point six six
¾ three quarters	75%	seventy-five percent	0.75 (nought) point seven five

Decimali: In Gran Bretagna e negli Stati Uniti i decimali sono scritti con il punto (non la virgola). Il punto è detto *point* e i numeri dopo il punto sono detti separatamente.
Frazioni: La lingua inglese ha nomi speciali per queste frazioni:

¼ *a quarter* oppure *one-quarter*
½ *a half* oppure *one-half*
¾ *three-quarters*

Tutte le altre frazioni usano i numeri ordinali: 1/16 – *a sixteenth* oppure *one sixteenth*, 2/10 – *two tenths*.

Si scrive	**Si dice**
100	one/a hundred
101	one/a hundred and one
165	one/a hundred and sixty-five
1,000	one/a thousand
1,005	one/a thousand and five
1,050	one/a thousand and fifty
1,305	one thousand, three hundred and five
10,000	ten thousand
10,001	ten thousand and one
10,050	ten thousand and fifty
10,302	ten thousand, three hundred and two
10,312	ten thousand, three hundred and twelve
100,000	one/a hundred thousand
1,000,000	one/a million
1,000,000,000	one thousand million (UK) a billion (US)
1,000,000,000,000	a billion (UK) a trillion (US)*

* Gradualmente, l'americano *billion* (1,000,000,000) viene accettato in Gran Bretagna, similmente al miliardo europeo che è mille milioni.

1.1.3 L'ora

Il sistema basato su dodici ore:

Ora esatta	**Si scrive**	**Si dice**	**USA**
	9am	nine o'clock/nine am	
	9pm	nine o'clock/nine pm	
Ora+minuti	9.05	five past nine	five after nine
	9.10	ten past nine	ten after nine
	9.15	quarter past nine/nine fifteen	quarter after nine
	9.20	twenty past nine/nine twenty	twenty after nine
	9.30	half past nine/nine thirty	
	9.35	nine thirty-five/twenty-five to ten	
	9.40	nine forty/twenty to ten	
	9.45	nine forty-five/quarter to ten	
	9.50	nine fifty/ten to ten	
	9.55	nine fifty-five/five to ten	

Aggiungete *minutes* negli altri casi, per esempio:
9.37 twenty three minutes to ten / nearly twenty to ten
9.04 four minutes past nine / nearly five past nine

Il sistema basato su 24 ore:
Per passare da un sistema all'altro:

			Si scrive	**Si dice**
Mattina	9 o'clock	=	0900 hours	oh nine hundred (hours)
	10 o'clock	=	1000 hours	ten hundred (hours)
	10.45am	=	1045 hours	ten forty-five
Dopo le 12	Aggiungete 12			
	1 o'clock+12	=	1300 hours	thirteen hundred (hours
	9 o'clock+12	=	2100 hours	twenty-one hundred (hours)
	11.15+12	=	2215 hours	twenty-two fifteen

Il termine *afternoon* è di solito usato in riferimento al periodo che va da 12 *noon* fino alle 4.30pm; *evening* dalle 5.00pm all'ora di andare a letto; *night* da l'ora di andare a letto fino al mattino. Nel Regno Unito gli uffici sono generalmente aperti dalle 9am fino alle 5.30pm. (V. Sezione C 1.4). Non dimenticate di controllare le differenze di fuso orario quando telefonate. (V. Sezione C 4)

1.1.4 La data

Dite prima il giorno e poi il mese:
23/10/89 – the twenty-third of October nineteen eighty-nine
Fate attenzione con le date americane: – 9/11/89 USA – the eleventh of September nineteen eighty nine
9/11/89 GB – the ninth of November nineteen eighty nine

1.1.5 Lettere

Se è necessario dettare un nome lettera per lettera, si può usare un codice standard per le lettere. Questo codice è utile per differenziare lettere che facilmente si confondono, come M/N, B/D oppure B/V e per dettare parole non comuni o straniere. Diamo due esempi di codice, il primo è il codice usato dai centralinisti telefonici inglesi e l'altro è quello usato negli Stati Uniti e nelle telecomunicazioni radio internazionali.

Lettera	**Fonemico**		
A	ɛɪ	Alfred	Alfa
B	bi:	Benjamin	Bravo
C	si:	Charlie	Charlie
D	di:	David	Delta
E	i:	Edward	Echo
F	ɛf	Frederick	Foxtrot
G	dʒi:	George	Golf
H	ɛɪtʃ	Harry	Hotel

I	aɪ	Isaac	India
J	dʒɛɪ	Jack	Juliette
K	kɛɪ	King	Kilo
L	ɛl	London	Lima
M	ɛm	Mary	Mike
N	ɛn	Nellie	November
O	əʊ	Oliver	Oscar
P	pi:	Peter	Papa
Q	kju:	Queen	Quebec
R	ɑ:	Robert	Romeo
S	ɛs	Samuel	Sierra
T	ti:	Tommy	Tango
U	ju:	Uncle	Uniform
V	vi:	Victor	Victor
W	dʌblju	William	Whisky
X	ɛks	X-Ray	X-Ray
Y	waɪ	Yellow	Yankee
Z	zɛd (RU) zi: (EE.UU.)	Zebra	Zulu

□ 1.2 Problemi di comprensione nell'inglese parlato

Probabilmente la maggior parte dei problemi di comprensione nasce dalla posizione errata degli accenti sia nelle singole parole che nel ritmo della frase. Quando si impara una nuova parola inglese, oltre alla pronuncia e alla grafia si deve aver chiara la sua funzione nella frase e il suo accento (*stress*). Nei vocabolari, di solito, l'accento viene dato con un segno verticale che precede la sillaba accentata, per esempio: *un 'helpful*.

Se pronunciate con un accento errato, chi parla la lingua madre cercherà di pensare ad una parola il cui accento somigli a quello da voi usato e probabilmente non riuscirà ad indovinare proprio quella parola che voi volevate dire.

Si hanno anche parole prive di accento, dette deboli. Queste parole rappresentano il 30% circa della lingua parlata. Nella seguente frase solo le sillabe in grassetto hanno l'accento e solo queste dovrebbero essere pronunciate chiaramente.

Would you **like** *to* **speak** *to his* **sec***retary?*

Le sillabe prive di accento non sono pronunciate chiaramente e sembra quasi che gli inglesi le 'inghiottiscano'.

La seguente lista dà alcune delle parole prive di accento o deboli:

Preposizioni: *at, to, from, on, under, by*

Ausiliari o modali: *be, been, am, is, are, were, have, has, had, do, does, will, would, can, could*

Pronomi: *me, he, him, she, we, us, you, them*

Articoli: *a, an, the*

Congiunzioni: *and, but, that*

Queste parole sono quasi sempre pronunciate senza accento, il che comporta i seguenti problemi:
a) se uno straniero dà l'accento ad ogni parola non sarà capito
b) gli stranieri pensano che gli inglesi non parlino in modo chiaro
c) quando si impara l'inglese si devono capire le parole prive di accento

La comprensione è più difficile per telefono. Solo le sillabe accentate sono pronunciate chiaramente:

I'm **sorry**. *I* **seem** *to have a* **really bad line**. *I can't* **hear** *you* **very well**.

Cercate di cogliere il senso di un messaggio telefonico, o della lingua parlata in genere, facendo attenzione alle sillabe accentate.

□ 1.3 Come rispondere al telefono

1.3.1 Come chiedere di parlare con una particolare persona

Si sente:	**Si dice:**
Saluti:	
(*Nome della ditta*) Good morning/ afternoon.	
(*Nome della ditta*) Can I help you?	*Come chiedere di parlare con una particolare persona:*
	Good morning/afternoon. May I speak to (*nome*) please?
	May I speak to someone in the . . . Department please?
	Extension . . . please.
	Good morning/afternoon. I'd like to speak to someone who deals with . . .
	Se avete fatto un numero sbagliato:
	I'm sorry. I've got the wrong number.
Centralinista che cerca di mettervi in contatto:	
I'm just putting you through.	
One moment please.	
Hold the line please.	
The line's ringing.	
Please wait a moment for your connection.	Thank you.
La persona è assente:	
The line's engaged. Would you like to hold?	Yes, thank you.
Can you hold? The line's busy.	Yes. I'll wait.

I can't get hold of . . . at the moment. If you'd like to hang on a second, I'll try again.	It's all right, I'll call back later.
	Can I leave a message? I'm (*nome senza titolo* – Mr/Mrs/etc) from (*ditta*) in (*luogo*). Can you tell . . .
	Well, I'm calling from Italy, would you ask (*nome*) to call me when she's free? She's got my number.

Come lasciare un messaggio:

I'm sorry, Mr . . .'s not in the office at the moment. Do you want to leave a message or shall I get him to call you back?	It's all right. I'll call back later.
	Can you ask Mr . . . to call me before three today?
	It is (*nome*) from (*ditta*).
	Can you put me through to someone who is dealing with . . .?
I'm sorry, Mr . . .'s in a meeting/on holiday/isn't in his office.	Could I speak to Mr . . .'s secretary?
	Is there anyone else who can . . .?
Would you like to speak to someone else?	Could you tell him (*nome senza titolo*) called and that I'll call back later.

1.3.2 Come chiedere informazioni al servizio Elenco Abbonati.

Fate il 192 (142 per Londra). (V. anche Sezione C 4.2)

Operatore:	**Chiamante:**
Directory Enquiries. Which town?	Wolverhampton.
What name?	Bartons.
Partons.	No Bartons. B for Benjamin.
Bartons, and the initials?	I don't know. It's a company but the address is 18 Queens Square.
It's three nine double seven oh four.	Three nine double seven oh four.
	Thank you. And could you tell me the code for Wolverhampton?
0903.	Thank you.

1.3.3 Come fare una telefonata

Per presentarvi:

This is (*nome senza* Mr/Mrs/ecc) of (*ditta*).

I'm speaking on behalf of (*ditta*).

Per spiegare lo scopo della vostra chiamata:
I'm calling about our . . .
It's about . . .
I'm calling in connection with . . .
To save time I thought I'd give you a call about . . .
(*Nome*) of (*ditta*) gave me your name and said you could help me with . . .

Quando non sentite:
Sorry?
I'm sorry. I didn't quite get that last bit.
The line's really bad. Could you say that again.
I'm afraid I didn't catch what you said.
I didn't catch your last point. Would you mind just saying that again.

Quando non capite:
I'm afraid I don't understand what you mean.
I'm sorry. I don't quite understand.
Could you explain that again? I didn't quite get you.

Quando volete confermare di aver capito:
Yes.
I see.
Right.
OK.

Quando volete essere certi che la linea non è caduta:
Hello? Are you still there?
Can you still hear me?

Quando volete rassicurare che inoltrerete un messaggio:
I'll make sure Mr . . . gets your message.
I'll pass on your message to Mr . . .

Quando non volete compromettervi:
Can I ring you back on that?
I'd rather talk to Mr . . . about it before we make a final decision.
I'm afraid we need more information.

Quando volete qualche informazione:
Am I talking to the right person for marketing information?
Can you put me through to someone who deals with marketing?
Could you tell me who deals with marketing?
. . . and who am I speaking to please? (*detto dopo che vi è stata data l'informazione che desiderate*)
I wonder if you can help me. I need a list of agents who deal with . . .
I'd like a copy of your catalogue, please.
Is it possible to get a range of samples?

1.3.4 Appuntamenti

A	B
Do you think we could arrange a meeting? I think we need to meet and discuss this further.	A good idea. I have to be in London soon anyway. Fine. When though?
How are you fixed next week? What about Thursday? How about Thursday? Would Thursday suit you? Would Thursday be all right? Would you be able to make next Thursday?	Thursday's no good, I'm afraid. I can't make it then. No, sorry. Thursday's not possible. Friday's clear.
Friday'd be fine. Shall we say ten thirty?	I can't manage the morning. What about the afternoon? Say two o'clock?
Let's say Friday then. What would be best for you?	I'm tied up in the morning but I'll be free after lunch.
See you on Friday at two then. At your office	Till Friday then.
Till Friday then.	Friday at two. Fine.

Quando volete cancellare un appuntamento:

I'm afraid I can't make our meeting. Something's cropped up.

I'm sorry but I'm going to postpone our meeting. I can't get over to London until next month.

Could you tell Mr . . . that Mr . . . is very sorry but he has to change his appointment on the (data). He'll be in touch himself as soon as he can.

Mr . . . asked me to contact you to let you know that he can't make it on the (data). Unfortunately he has to attend an urgent meeting in the States. He'll contact you on the (data) when he gets back.

□ 1.4 L'inglese parlato in altre occasioni

1.4.1 Alla accettazione

Ah Mr Smith. Mr Jones is expecting you.
Good morning/afternoon Sir/Madam. Can I help you?

May I have your name Sir/Madam?

Who would you like to see?
Do you have an appointment?

I'm sorry. I didn't catch your name.
Your name again Sir/Madam?

Would you like to take a seat. Mr Jones won't be long.
Please take a seat for a moment. Mr Jones is on his way.

Can I get you some tea or coffee? How do you like it?
Notate: *Would you like a drink?* Significa di solito qualcosa di alcoolico.

1.4.2 Dialoghi di convenienza

How was your journey?
flight?
Did you have a good crossing?
trip?

Where are you staying?
How's your hotel?
Is your hotel all right?
Have you booked into a hotel yet?
Can I book you into a hotel?

Have you been to . . . before?
How do you like . . . ?
There's a wonderful Chinese restaurant not far from your hotel.
You've come at a good time. The Music Festival is on this week.
I hope you have time to do some sight-seeing.
You'll have to make time to visit the Fuller's Arms. They do wonderful food.

Se dovete presentare qualcuno:
Mr Jones, I'd like you to meet Mr Smith.
May I introduce Mr Smith?
Have you met Mr Smith?
Risposta: How do you do.
Pleased to meet you.
Se dovete presentarvi:
I don't think we've met before. My name's John Smith.
May I introduce myself? I'm John Smith.

Risposta: How do you do.
I'm Mary Jones.
I'm Mary Jones. Pleased to meet you.
Nota: Vedere Sezione C 2.6 sulle strette di mano.

Inviti:
Would you like to join me for lunch?
I was wondering if you'd like to join me for dinner?
Se si accetta: That would be very nice.
That's very kind of you.
That sounds lovely.
Thank you. I'd love to.
Se si rifiuta: I'd love to but I can't.
That'd be nice but I'm afraid I can't this time.
I'm sorry I can't. Perhaps another time?

Suggerimenti:
How about lunch?
Let's go for lunch.
What about some lunch?

Ringraziamenti:
Thank you for all your help.
Thank you for looking after me so well.
Risposta: Not at all.
That's all right.
It was a pleasure.
That was really delicious.
lovely.
wonderful.
Risposta: I'm glad you enjoyed it.

Quando non si capisce:
Could you explain that again for me, please?
What does . . . mean exactly?
I didn't understand the bit about . . .
I'm not sure what you mean.
I'm afraid I don't follow you.

Per concludere una conversazione:
Anyway I must go.
I'm afraid I must be going.
really must be off.
'll have to go.
If you'll excuse me, I have to go.
I'd better be going then.

Notate: *anyway* può essere usato per cambiare argomento, per ritornare al punto centrale del discorso ma anche per concludere una conversazione.
then è spesso usato alla fine di una frase o di un periodo, quando si ripete un'informazione: *two o'clock then*; alla fine di una conversazione: *see you then*.

2 Il telex

□ 2.1 Vantaggi del telex

In molte ditte il telex ha preso il posto della lettera come principale mezzo di comunicazione scritta; è anche preferito al telefono in molti casi.

Vantaggi nei confronti della lettera

È più economico che usare il tempo della segretaria per scrivere una lettera corretta.
È 'immediato' e fornisce un servizio di 24 ore poichè la macchina può ricevere messaggi anche se nessuno è presente.
Ogni imprecisione può essere immediatamente controllata con il mittente.

Vantaggi nei confronti del telefono

I messaggi possono essere trasmessi in qualunque momento, indipendentemente dagli orari d'ufficio o dai fusi orari.
I tempi di trasmissione sono più veloci ed economici rispetto a quelli di una telefonata equivalente.
Le informazioni possono essere fraintese al telefono.
In alcune situazioni chi invia il messaggio può desiderare di evitare un contatto personale, per esempio in caso di cattive notizie.
Non si perde tempo per essere messi in contatto con la persona giusta.
Un telex è un documento legale.

Un vantaggio nei confronti di entrambi i sistemi sta anche nel fatto che il tasto di chiamata del numero del mittente (answer back), con il quale si chiude normalmente un telex, garantisce che il messaggio è stato ricevuto per intero.

□ 2.2 Il linguaggio dei telex – o come scrivere i telex

I telex possono essere scritti con o senza abbreviazioni ed omissioni. Più comunemente viene adottato lo stesso sistema dei telegrammi.
Abbreviate i messaggi omettendo le parole non importanti. Si tratta di quelle parole che non sono necessarie alla comprensione del testo. Le seguenti 10 parole sono le più comuni nella lingua inglese: *the, of, and, to, a/an, in, is, I, it, that*. Definite anche *function words*, queste aggiungono scarso significato e le 50 parole piú comuni in inglese sono di questo tipo, come ad esempio le preposi-

zioni, i pronomi, gli articoli, le congiunzioni, gli ausiliari, ecc.
Nel seguente messaggio questo tipo di parole sono sottolineate:
OUR ORDER NO P/S879/T ARRIVED ON MONDAY BUT I REGRET TO HAVE TO INFORM YOU THAT THREE OF THE CARTONS WERE DAMAGED
Il messaggio può essere capito omettendo le parole sottolineate.
ORDER NO P/S879/T ARRIVED MONDAY REGRET INFORM THREE CARTONS DAMAGED
Non omettete nessuna delle parole precedentemente trattate se sono importanti alla comprensione del messaggio:
PRICE INCREASE ON MARCH ELEVENTH TWO PERCENT
In questo messaggio – ON – è essenziale alla comprensione del testo.
Scrivete i numeri in lettere piuttosto che in cifre. Ciò è particolarmente importante con quei numeri che sono scritti in modo diverso in Gran Bretagna, per esempio i decimali che sono preceduti dal punto – *0.75*, mentre negli altri stati europei sono preceduti dalla virgola – *0,75*. (V. Sezione B 1.1 su come dire numeri e cifre.) Spesso le cifre importanti sono ripetute in lettere. Per esempio:
SELL 2000 TWO THOUSAND TX 910 PARTS AT 33 1/3 0/0 THIRTY THREE AND THIRD DISCOUNT

□ 2.3 Abbreviazioni usate nei telex

Usate solo quelle abbreviazioni che saranno capite da chi riceve il messaggio.
Tipo 1 Abbreviazioni standard.
Quelle di parole mai scritte per intero come: *am, pm, NB, ie, eg, etc*
Abbreviazioni standard capite da chiunque parli l'inglese come lingua madre, come: *dept, hrs, ref, Jan, Mon, approx, attn*

Tipo 2 Abbreviazioni commerciali.
Esempi (V. Abbreviazioni. Sezione alla fine del libro.)

B/L	Bill of Lading
B/E	Bill of Exchange
C/N	Credit Note
D/D	Delivery Date
D/I	Date of Invoice
L/C	Letter of Credit
O/N	Order Number
W/C	Week commencing

Tipo 3 Abbreviazioni telex internazionalmente riconosciute.

ABS	Absent subscriber, office closed
BK	I cut off
CFM	Please confirm / I confirm
COIL	Collation please / I collate
CRV	Do you receive well / I receive well
DER	Out of order

DF	You are in communication with the called subscriber
EEE	Error
FIN	I have finished my message
GA	You may transmit / May I transmit
INF	Subscriber temporarily unobtainable. Call the Enquiry Service
MNS	Minutes
MOM	Wait/Waiting
MUT	Mutilated
NA	Correspondence to this subscriber not admitted
NC	No circuits
NCH	Subscriber's number has been changed
NP	The called party is not or is no longer a subscriber
NR	Indicate your call number / My call numer is . . .
OCC	Subscriber engaged
OK	Agreed / Do you agree?
P☆ OR O	Stop your transmission
PPR	Paper
R	Received
RAP	I shall call you back
RPT	Repeat / I repeat
SVP	Please
TAX	What is the charge? / The charge is . . .
TEST MSG	Please send a test message
THRU	You are in communication with a Telex position
TPR	Teleprinter
W	Words
WRU	Who is there
XXXXX	Error

Le correzioni sono fatte battendo 5 volte la lettera X:
CONFIRM ABAXXXXX AVAILABILITY

Tipo 4 Abbreviazioni inventate da alcuni utenti telex. Usate queste abbreviazioni per capire i telex piuttosto che per scriverli:

ADV	Advise
ASAP	as soon as possible
B	be
BAL	balance
BEG	beginning
CLD/WLD	could/would
CONF	confirm/confirmed/confirmation
DEL	delivery
DESP	despatched/despatch/despatches
DTD	dated
ETA	estimated / expected time of arrival
FOLL	following

INV	invoice
MID	middle
MNY	many
N	and
NXT	next
OK	agree
POSS	possible
QTR	quarter
QTY	quantity
R	are
RECD	received
REQ	require/required
RES	reservations
RGDS	regards
THS	this
TLX	telex
U	you
WK	week
YDY	yesterday
YR	your

Qualunque parola può essere abbreviata, ma non abbreviate così tanto da rendere il messaggio difficile da comprendere. Molte delle abbreviazioni tipiche dei telegrammi possono essere usate nei telex:

AWAIT	We are waiting for / you should wait for
IMPERATIVE	it is very important that
LETTER FOLLOWS	we are writing to confirm this message
LOWEST	the least / cheapest possible
REGRET	I apologize for . . . / I'm sorry about . . .
REQUEST	We should like
SOONEST	as soon as possible

□ 2.4 Servizi telex

2.4.1 British Telecom

Per quelle ditte che non possiedano un proprio telex, esiste un servizio fornito dalla *British Telecom International (BTI) Bureau Services*. I messaggi possono essere dettati per telefono, mandati per posta, telefax o a mano alla Electra House, Victoria Embankment, London WC2R 3HL.
A quelle ditte che non vogliono tenere occupati i loro telex vengono offerti servizi per mandare via telex un messaggio a più indirizzi, per la diffusione di liste e messaggi mirati. Per questo servizio telefonate a *BTI Bureau Services*, Londra (01) 836 5432.

Telex Link dà a tutti gli utenti *Prestel* accesso alla rete Telex senza bisogno di apparecchi speciali. (V. Sezione C A.1 per Prestel.)

Text Direct è un servizio che permette agli utenti registrati di mandare e ricevere messaggi anche se non hanno un telex. I messaggi possono essere mandati e ricevuti da utenti telex di tutto il mondo tramite il terminale di un personal computer o di una macchina da scrivere elettronica.

Telex manual services è un servizio di informazioni sia generali che sugli elenchi internazionali degli abbonati telex.

Intelpost, un *Royal Mail Service*, può essere usato per mandare telex a chi possiede un telefax o a quanti non abbiano nè telefax nè telex o una *mailbox* elettronica. Per questo servizio telefonate a *Freefone Intelpost*.

□ 2.5 Esempi di telex

Conferma di una prenotazione alberghiera:

CONFIRM RESERVATION SINGLE ROOM NIGHT OF 11 AUG FOR
MR PETER NIELD. MR NIELD WILL SETTLE OWN ACCOUNT ON
DEPARTURE.

Un agente cerca di fissare un incontro tra fornitore e cliente:

ATTN BOX 123 MR MANCINI
HAVE CUSTOMER WHO WISHES TO MEET YOU 22 OCTOBER. WILL
YOU BE IN UK AND WILL YOU BRING CPV/FLOWMETER WITH
YOU? URGENT PLEASE BY RETURN TO TLX 297661BTIEQ G
QUOTING PHONE 01-123-2345

BEST REGARDS, GERALD

Una quotazione:

ATTN: MR JONES
RE: PRICES TO STYLE 123 AND 456 – CANVAS SHOES
<u>STYLE 123</u>
SIZE 3/4 2.10 – GBP
SIZE 5/11 2.20 – GBP
<u>STYLE 456</u>
SIZE 3/4 2.13 – GBP
SIZE 5/11 2.22 – GBP
NO DISCOUNT ON INVOICE. FOB PRICES OPORTO. PACKING IN
PLASTIC BAGS – 20/25 PAIRS PER CARTON. L/C CONFIRMED AND
IRREVOCABLE.
THANK YOU
REGARDS, BERE

Nota: GBP = Great Britain Pounds, cioè lire sterline
Richiesta di informazioni su un prodotto:

OUR REF 1027 87-09-17 13:36

15/9/87
FAO HOMPEL
YR TLX T242DT3/9
1 PROVIDE SAMPLES
2 STATE FOR HOW LONG PRICES QUOTED VALID
3 STATE REEL WIDTH AND DIA ALSO CORE DIA AND MACHINE DECKLE
4 IS ORIGIN S AMERICA?

REGARDS, MALCOLM

Nota: FAO = For the attention of
Richiesta di tradurre e mandare ad un cliente tramite il servizio *Telex Bureau* un'attestazione di ricevuto pagamento:

PLEASE TRANSLATE THE FOLL ENGLISH TEXT INTO SPANISH AND RETRANSMIT TO SPAIN TLS NR 12345 ABCD E . THANK YOU.

ATTENTION: RAMON
WE ACKNOWLEDGE RECEIPT OF YR CHEQUE IN PAYMENT OF INV NO 64/8

SALUDOS

SMITH AND JONES LONDON

Nota: Per il servizio di traduzione e invio di telex e telefax fornito da British Telecom (V. Sezione C 4.1).
Informazioni sul procedimento di una negoziazione per l'ottenimento di un prestito:

ATTN MR SMITH
SPOKE TO FUNDERS. ARE WILLING TO NEGOTIATE PROVIDING BORROWERS WILLING TO COME UP WITH THE NECESSARY DOCUMENTATION INCLUDING LETTER OF CREDIT FROM PRIME BANK. EXPECTING TLX EARLY FRI; WILL ACKNOWLEDGE STRAI AWAY.
REGARDS JOHN

3 Telegrammi internazionali e fonogrammi

□ 3.1 Telegrammi internazionali (cablogrammi)

I telegrammi o *cables* possono essere inviati all'estero per telefono, facendo il 100 e chiedendo del servizio *'International telegrams'*.

Le tariffe dei telegrammi internazionali sono ancora calcolate in base al numero delle parole. Gli utenti cercano quindi di ridurne il numero:

a) utilizzando le abbreviazioni descritte nella sezione dedicata ai telex

b) scrivendo le parole composte come una sola parola come:

TWENTYONE	TENTHIRTY
UPTODATE	NEXTMONTH
FIVEPERCENT	PRICELIST

Come per i telex è meglio limitarsi all'uso di abbreviazioni internazionalmente riconosciute.

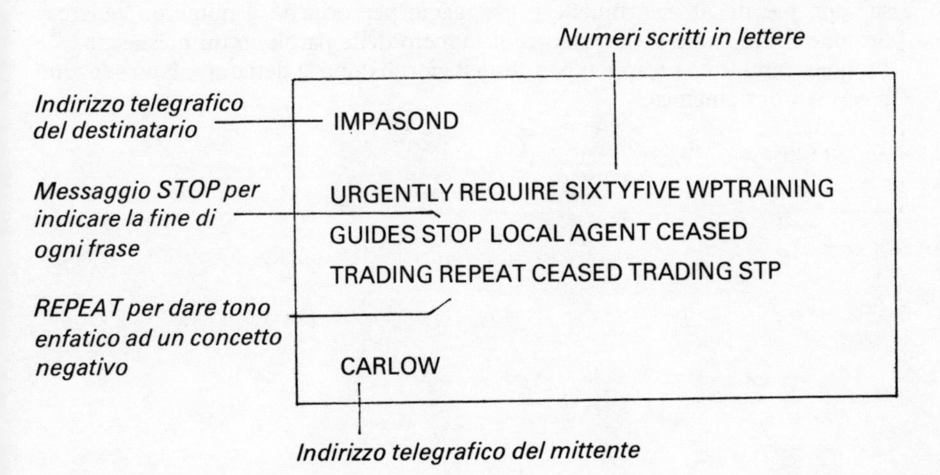

Notate che la *British Telecom* permette che i telegrammi siano inviati in codice. Questo è un modo di ridurre le parole e garantirsi che solo il destinatario capirà il messaggio. Codici speciali vengono usati, per esempio, dai grandi alberghi e dai giornalisti che inviano servizi speciali. Le seguenti abbreviazioni ne sono un esempio:

Please book one single room	ALBA
Please book one room with two single beds	ARAB
Arriving Monday morning	POCUN
Arriving this afternoon	POWYS

□ 3.2 Fonogrammi

I fonogrammi hanno sostituito i telegrammi in Gran Bretagna. Il servizio è prestato dalla *British Telecom* e i fonogrammi possono essere mandati per telefono o per telex. Per inviare un fonogramma fate il 100 e chiedete del servizio *Telemessages*. Per mandarli via telex, cercate il numero nell'elenco degli abbonati telex. Il servizio è fornito per l'interno e per gli Stati Uniti. (Negli Stati Uniti questo servizio si chiama *Mailgram*.) Sarà esteso agli altri paesi.

Viene applicata una tariffa standard per le prime 50 parole e poi un'altra tariffa stabilita per fasce di 50 parole. Il nome e l'indirizzo non sono calcolati in base al numero delle parole. Il numero massimo di parole accettato è 350. Una copia del testo vi può essere mandata pagando un sovraprezzo. Esiste una tariffa ridotta se volete mandare lo stesso messaggio a più destinatari. Chiamate il 100 e chiedete del servizio *'Freefone: Multiple Telemessage'*. Si può chiedere per inviare comunicazioni speciali in occasioni particolari come una nascita, un matrimonio, ecc.

Prima di dettare il vostro messaggio, scrivetelo e contate il numero delle parole; se sono più di 50, riformulate il messaggio per ridurne il numero. Vedere a Sezione B 2.2 come si può ridurre il numero delle parole in un messaggio.

I fonogrammi sono recapitati per posta il giorno dopo la dettatura. Non vengono recapitati di domenica.

SEZIONE C:
LA GRAN BRETAGNA GUIDA CULTURALE E COMMERCIALE

1 Informazioni generali

☐ 1.1 La popolazione

Il Regno Unito ha una popolazione di 55.776.422 abitanti.

Inghilterra	46.362.836
Galles	2.791.851
Scozia	5.130.735
Irlanda del Nord	1.491.000

Questi dati son basati sull'ultimo censimento ufficiale della popolazione del 1981. L'aumento della popolazione si è fermato dato il tasso di natalità in diminuzione e la maggior lunghezza media della vita. Le persone che superano i 65 anni sono oggi cinque volte di più che nel 1900 e quelle che superano gli 85 anni dieci volte di più. La popolazione in molte aree sta cambiando, in particolare perchè molti abbandonano le città, i pensionati verso i centri della costa e chi lavora verso le zone residenziali dove sia le abitazioni che l'ambiente sono migliori.

☐ 1.2 Suddivisioni geografiche nel Regno Unito

Il Regno Unito = {
Inghilterra }
Scozia } = Gran Bretagna
Galles }
Irlanda del Nord
Isola di Mann
Isole della Manica

La dicitura completa è Regno Unito di Gran Bretagna ed Irlanda del Nord. Il Regno Unito è suddiviso in *counties* in Inghilterra e Galles e in *Regions* in Scozia e Irlanda. Le regioni riconosciute come tali nelle statistiche ufficiali sono:

Scotland	
Wales	
Northern Ireland	
East Anglia:	Cambridgeshire, Norfolk, Suffolk
East Midlands:	Derbyshire, Leicestershire, Lincolnshire, Northamptonshire, Nottinghamshire
North:	Cleveland, Cumbria, Durham, Northumberland, Tyne and Wear

North West:	Greater Manchester, Lancashire, Cheshire, Merseyside
South East:	Bedfordshire, Berkshire, Buckinghamshire, East Sussex, Greater London, Hampshire, Hertfordshire, Isle of Wight, Kent, Oxfordshire, Surrey, West Sussex
South West:	Avon, Cornwall, Devon, Dorset, Gloucestershire, Somerset, Wiltshire
West Midlands:	Hereford and Worcester, Shropshire, Staffordshire, Warwickshire, West Midlands
Yorkshire and Humberside:	Humberside, North Yorkshire, South Yorkshire, West Yorkshire

□ 1.3 I trasporti

1.3.1 British Rail

British Rail offre servizi veloci e relativamente efficienti tra i maggiori centri del paese.

I treni *InterCity* su lunga distanza fanno servizio sia di *First Class* che di *Economy (2nd) Class*. Le vetture di prima classe si identificano facilmente grazie alla striscia gialla sui finestrini.

L'*Intercity Business Travel Service* è un servizio offerto in stazioni selezionate. Comprende biglietti ferroviari di tutti i tipi anche per gli altri paesi europei, servizio di prenotazione, vagoni letto, noleggio auto, alberghi, biglietti aerei e sale di ritrovo.

Il *Pullman InterCity* può essere utilizzato da chi possiede un biglietto di prima classe o un biglietto *Executive*. I biglietti *Executive* includono biglietto di andata e ritorno in prima classe, prenotazione, parcheggio auto di 24 ore, biglietto della metropolitana per l'area centrale di Londra e sconto sul noleggio di auto. I *Pullman services* rappresentano un modo veloce e comodo di viaggiare per quegli uomini d'affari che si spostano dall'Inghilterra del nord a Londra. La maggior parte dei *Pullmans* sono dotati di telefoni e degli altri servizi forniti dai treni *InterCity*. Si possono fare chiamate sia nazionali che internazionali.

Intercity Europe (Eurocity) offrono servizi sui collegamenti con il continente. Un biglietto tutto compreso permette di andare via Harwich a Hook in Olanda, da Dover a Calais, da Folkestone a Boulogne o da Newhaven a Dieppe. Secondo quale percorso si sceglie, si può avere servizio di traghetto, hovercraft o jetfoil. I treni *Eurocity* sono collegati con i servizi *Intercity* gestiti all'interno delle altre nazioni. Per informazioni vi potete rivolgere a *European Rail Passenger Office*, Londra (01) 834 2345.

British Rail offre anche un servizio con *InterCity Europe* che si chiama *Conference Connection*.
Londra ha diverse stazioni del *British Rail*, ognuna collega la capitale con zone diverse del paese:
Paddington: Inghilterra occidentale, Galles del sud

Euston: Galles del nord, Midlands occidentali, Inghilterra nord-occidentale, Scozia occidentale
King's Cross: Midlands orientali, Inghilterra nord-orientale, Scozia orientale
St Pancras: Midlands centrali fino a Sheffield
Liverpool Street: East Anglia
Victoria, Charing Cross, Waterloo: Inghilterra del sud.
Per risparmiare tempo e costi di albergo, il *British Rail* offre un servizio letto in cabina singola per biglietti di prima classe, in cabina doppia per biglietti di seconda classe sui treni che collegano Londra con la Scozia, l'Inghilterra del Nord, il Galles e l'Inghilterra occidentale.
Vedere Sezione C 5.1 per le fonti di informazione sui viaggi.

Il *tunnel* doppio monorotaia (lungo circa 49 km) sotto la Manica dovrebbe essere aperto nel 1993. La durata del viaggio tra i due terminali di Cheriton (vicino a Folkestone) e Frethun (a sud-ovest di Calais) durerà circa 30 minuti. Il collegamento fornirà un servizio navetta per auto, caravan, pullman e veicoli commerciali. I tempi di viaggio tra Londra e Parigi saranno di circa 3 ore e 15 minuti, e tra Londra e Bruxelles di circa 3 ore. Sono in programma anche servizi di trasporto merci.

1.3.2 Servizi Pullman

National Express è la rete di pullman estesa su tutta la nazione, con collegamenti tra le maggiori città, i piccoli centri e i paesi in Inghilterra e Galles. In Scozia questo tipo di servizio è fornito da *Scottish Citylink Coaches*. Molti pullman sono stati modernizzati, con servizi toilette, bar e videofilm. *National Express* ha anche linee che collegano la Gran Bretagna agli altri paesi europei. Offre servizi regolari tra Londra e il Belgio, la Francia, la Germania, la Grecia, l'Olanda, l'Irlanda, l'Italia, il Portogallo, la Scandinavia, la Spagna e la Svizzera. (Vedere anche i servizi da e per gli aeroporti, Sezione C 1.3.5.

1.3.3 Trasporti a Londra

Londra ha un sistema piuttosto buono di trasporti pubblici, fatta eccezione per le ore della notte. *London Regional Transport* ha uffici di informazione nelle seguenti stazioni: Euston, Heathrow, King's Cross, Piccadilly Circus, St James's Park e Victoria. In questi centri potete avere mappe gratis e informazioni sui trasporti a Londra.

Per gli stranieri la *Underground* (o *tube*) è il mezzo più semplice e più veloce per spostarsi. Le tariffe sull'*Underground* e sugli autobus variano a seconda della distanza. Per non fare code conviene avere delle monete da 10p, 20p e 50p per usare i distributori automatici. Si possono comprare biglietti di andata e ritorno a tariffa ridotta se si inizia a viaggiare dopo le 10 della mattina o a qualunque ora di sabato e domenica. Con i *London Explorer Passes* potete, pagando una sola volta, circolare liberamente nella *Central London*. Il *London Transport* organizza anche giri turistici della città. Ogni linea dell'Underground è segnata con colore diverso sulle cartine, che sono esposte in ogni stazione e sui treni. Sulla cartina della metropolitana si possono anche vedere i collegamenti con le stazioni dei treni principali del *British Rail*. Rivolgetevi ai *British Rail Travel Centres* o nelle stazioni stesse per informazioni sui servizi del *British Rail*.

I *buses* sono molto più lenti, specialmente nelle ore di punta. Su alcuni si paga al conducente quando si sale, su altri, inclusi quelli che hanno l'accesso sulla parte posteriore, un controllore incassa i biglietti mentre si scorre. Non è richiesta moneta contante ma non sono graditi i biglietti di grosso taglio (banconote da L5, L10, ecc.). Se state aspettando ad una *Request Stop* dovete alzare il braccio per far fermare l'autobus.

Gli autobus della *Red Arrow* viaggiano nel centro di Londra e i pullman della *Green Line* vanno dal centro di Londra a zone periferiche come Windsor.

La rete di taxi è ottima. I *cabs* neri (ora anche in altri colori) sono a disposizione dei clienti quando è accesa la luce sul parabrezza. La tariffa è misurata con un tassametro. Si paga un minimo fisso indicato dal tassametro al momento della partenza. Aspettatevi di pagare una tariffa extra se avete bagagli, se viaggiate in piena notte, nei fine settimana e durante le feste nazionali. Per viaggi di una certa lunghezza concordate la tariffa prima di partire. I *Mini Cabs* non possono essere noleggiati per strada, ma devono essere prenotati per telefono. Sono auto normali e sono più economici per percorsi lunghi. Concordate la tariffa quando prenotate. I numeri telefonici ai quali rivolgervi sono sulle *Yellow Pages* (V. Sezione C 4.1.).

Il *London Transport Information Centre* ha uffici per informazioni generali e di viaggio a Londra. Forniscono piante della metropolitana e degli autobus insieme a mappe turistiche in francese, tedesco, italiano, spagnolo e olandese. Gli uffici sono nelle seguenti stazioni della metropolitana: St James's Park, Euston, Heathrow, King's Cross, Oxford Circus, Piccadilly Circus e Victoria.

Il *British Rail Travel Centre*, 4 – 12 Lower Regent Street, SW1 fornisce informazioni solo su richieste individuali e fa prenotazioni per biglietti ferroviari sia per la rete nazionale che per i collegamenti con il continente e l'Irlanda del Nord.

Il *National Tourist Information Centre* è a Victoria Station e dà informazioni turistiche, prenota sistemazioni alberghiere, biglietti teatrali e vende guide e carte geografiche.

1.3.4 Le strade in Gran Bretagna

Il traffico merci e passeggeri si svolge prevalentemente su strada. Il numero delle auto possedute da privati è cresciuto rapidamente e l'auto è il più comune mezzo di trasporto.

Si hanno tre tipi di strade: le *Motorways (M Roads)*, per il traffico a lunga distanza, che hanno tre corsie e collegano i grandi centri. Le autostrade rappresentano meno dell' 1% del kilometraggio totale, ma sopportano quasi il 13% del traffico. C'è un limite di velocità sulle *motorways*.

Le *A Roads* sono le strade più importanti. Molto più lente delle autostrade, di solito con una sola corsia per direzione di marcia, hanno limiti di velocità e passano attraverso città e paesi.

Le *B Roads* sono di solito strade più strette, di campagna. Tutte le strade sono senza pedaggio, mentre si paga su alcuni ponti e gallerie. Per informazioni rivolgersi al *Automobile Association* (Vedere oltre.)
Il trasporto su strada ha un ruolo dominante nello spostamento delle merci sul territorio nazionale. Si è passati a veicoli più grandi con maggior capacità di carico. I problemi ambientali connessi con questo tipo di trasporto preoccupano l'opinione pubblica. Il trasporto su strada è gestito largamente da piccole ditte private. La più importante organizzazione è il *National Freight Consortium*.
L'uso dei servizi pubblici su strada per il trasporto di passeggeri ha subito un lento declino, principalmente per l'aumento del numero delle auto private.
Le due maggiori associazioni automobilistiche britanniche sono l'*Automobile Association* (AA) (0256)20123 e il *Royal Automobile Club* (RAC) (01)686 2525. Forniscono pubblicazioni ed informazioni sugli itinerari e le condizioni di traffico in Gran Bretagna e fanno servizi di assistenza a automobilisti e motociclisti in caso di guasti meccanici. Poichè hanno accordi con organizzazioni europee similari per una reciproca assistenza dei soci, è consigliabile consultarsi con l'associazione locale quando si progetta un viaggio con la propria auto in Gran Bretagna. Sia la *AA* che il *RAC* hanno uffici informazioni nei principali porti.
I limiti di velocità sono segnalati in miglia (V. Sezione C 1.6).

1.3.5 Traffico aereo

Heathrow organizzazione e servizi
15 Miglia da Londra. Tel: London (01) 668 4211

Banche: Terminal 3 arrivi. Aperta 24 ore
Terminal 1 e 2. Aperta dalle 7.00 alle 23.00

Sale di riunione: Una sala congressuale è prenotabile presso il *Queens Building Management. Heathrow Business Centre*. Il *Terminal 2* offre servizi di segretariato. Tel: London (01) 759 2434.

Telefoni: Telefoni pubblici a moneta presso ogni terminal, incluso l'ultima sala di partenza. La maggior parte dei telefoni accetta monete da 10p e da 20p, alcuni accettano la *British Telecom Phonecard*. (V. anche Sezione C 4.2.)

Servizi autobus: Servizio di autobus di trasferimento per 24 ore ad intervalli regolari tra i quattro terminal.

Collegamenti con Londra: La *Airbus*. *London Regional Transport* offre due collegamenti di autobus diretti: uno collega l'aereoporto con Victoria Station, l'altro con Euston Station. Entrambe le corse si fermano a tutti i terminal e impiegano circa 50–85 minuti. *Flightline (Greenline)* collega i quattro terminal con la *Victoria Coach Station*. Effettua corse regolari ogni mezz'ora dalle ore 06.15 alle 19.15, ogni ora nel restante orario. Il viaggio dura circa 45 minuti.

Careline collega, con un servizio autobus ogni ora, Heathrow con la *Victoria Coach Station* e la *Victoria Rail Station*, Waterloo, King's Cross, Euston e Paddington.
La *Underground* (o *tube*) collega Heathrow con la *Greater London*. Heathrow ha due stazioni sulla *Piccadilly Line*, una per i Terminal 1,2 e 3 e una separata per il Terminal 4. I treni passano ogni tre minuti nelle ore di punta e impiegano 45 minuti a raggiungere il centro.
È disponibile anche un servizio taxi e costa molto di più. Il viaggio dura circa un'ora.

Gatwick:
29 miglia da Londra. Tel: Gatwick (0293) 28822
Banche: Ufficio cambio e servizi di sportello per 24 ore.
Sale di riunione: Si possono prenotare due sale congressuali. Altre sale di riunione possono anche essere prenotate presso l'Hilton, che è collegato al terminal da un passaggio pedonale.
Telefoni: Telefoni a moneta o con *British Telecom Phonecard* in varie parti del terminal.
Collegamenti: La *Speedlink (Greenline)* effettua un servizio di collegamento pullman con Heathrow ogni 20 minuti per tutto il giorno. Il viaggio dura 50 minuti.
British Rail fa un servizio di treno espresso, il *Gatwick Express*, che parte ogni ora di notte ed impiega 30 minuti per raggiungere Victoria Station. Gatwick ha anche un servizio diretto per London Bridge, the permette il collegamento con la City per gli uomini d'affari. Il collegamento è effettuato ogni ora, con corse supplementari nelle ore di punta, ed impiega 35 minuti. Treni rapidi collegano Gatwick con Wolverhampton, Birmingham, Manchester e Liverpool via Kensington, dove si trova una stazione della rete Intercity.
I taxi impiegano circa un'ora per raggiungere Londra.
Non esistono collegamenti con l'*Underground*.

London City Airport:
Questo aereoporto dista sei miglia dal centro di Londra e viene utilizzato prevalentemente dagli operatori economici. Vi sono servizi di parcheggio a breve e lungo termine e un servizio pullman da e per Victoria. L'ultimo check-in può essere fatto dieci minuti prima della partenza.
Attualmente si ha un servizio di quattro voli giornalieri da e per Parigi, tre su Bruxelles, dal lunedì al venerdì. Durante i fine settimana il servizio è ridotto. È prevista l'estensione del servizio a Rotterdam, Dusseldorf, Jersey, Guernsey e Manchester. Le prenotazioni possono essere fatte tramite le agenzie di viaggio o il *London City Airways*, Londra (01) 511 4200. Ulteriori informazioni possono essere richieste a: – London City Airways, London City Airport, London, E16 2QQ.

Aereoporto regionali:
La Gran Bretagna ha 30 aereoporto regionali. Pravalentemente si tratta di

aereoporti per voli interni. I voli internazionali di linea sono per lo più verso destinazioni europee.
Manchester, Edimburgo, Birmigham e Glasgow hanno voli di linea verso i maggior aereoporto europei. Gli operatori economici inglesi usano più frequentemente l'automobile o il treno all'interno del paese piuttosto che l'aereo, particolarmente sulle brevi o medie distanze.

1.3.6 Servizi di traghetto e hovercraft

Si hanno più di 20 collegamenti con servizio di traghetto tra la Gran Bretagna e le altre nazioni europee. Quasi tutti i traghetti sono attivi per tutto l'anno ma su alcune rotte il servizio è stato ridotto in inverno. La maggior parte dei porti traghetto offre servizi di banca, di prenotazioni alberghiere, noleggio auto e uffici dell'*AA* e del *RAC* (V. Sezione C 1.3.4). I porti sono collegati a Londra da strade veloci e treni. Il seguente schema indica le rotte principali e i tempi di traversata. Aggiungete un'ora per i controlli doganali e d'imbarco.

Calais–Dover	35 minuti (hovercraft)
Boulogne–Dover	35 minuti (hovercraft)
Calais–Dover	75–90 minuti
Ostenda–Dover	90 minuti (jetfoil)
Boulogne–Folkestone	1 ora + 45 minuti
Boulogne–Dover	1 ora + 45 minuti
Dunkerque–Ramsgate	2 ore + 35 minuti
Ostenda–Dover	3 ore + 45 minuti
Zeebrugge–Dover	4 ore
Cherbourg–Weymouth	4 ore
Dieppe–Newhaven	4 ore + 15 minuti
Cherbourg–Poole	4 ore + 30 minuti
Cherbourg–Portsmouth	4 ore + 45 minuti
Zeebrugge–Felixstowe	5 ore + 15 minuti
Caen–Portsmouth	5 ore + 30 minuti
Le Havre–Portsmouth	5 ore + 45 minuti
Roscoff–Plymouth	6 ore

Altri porti includono servizi per: St Malo, Vlissingen, Santander, Rotterdam, Amburgo, e i porti scandinavi.

□ 1.4 Orari di lavoro

1.4.1 Negozi

Di solito i negozi sono aperti dalle 9.00 alle 17.30 da lunedì a sabato compreso. I negozi nelle piccole città e nei paesi di solito chiudono un'ora per il pranzo e spesso chiudono alle 13 una volta alla settimana. I grandi magazzini e i negozi di Londra, per esempio quelli di Knightsbridge e di Oxford Street hanno l'orario prolungato una volta alla settimana. Nello West End, per esempio, il giorno con orario prolungato è il giovedì.

1.4.2 Banche e uffici di cambio

Le banche sono generalmente aperte da lunedì a venerdì dalle 9.30 alle 15.30. La maggior parte delle banche apre il sabato mattina. Alcune banche in Scozia e nell'Irlanda del Nord chiudono per un'ora all'ora di pranzo. Ci sono banche aperte 24 ore negli aereoporti di Heathrow e Gatwick.

Se avete bisogno di cambiare denaro nelle ore di chiusura delle banche, potete servirvi degli uffici di cambio delle grandi agenzie di viaggio, degli alberghi e dei grandi magazzini. I Travellers cheques sono accettati normalmente negli alberghi, nei ristoranti e nei migliori negozi.

1.4.3 Uffici postali

L'orario di apertura è dalle 9.00 alle 17.30 dal lunedì al venerdì e dalle 9.00 alle 12.30 il sabato, fatta eccezione per le feste nazionali, o *Bank Holidays* e i giorni ad orario ridotto. Molti uffici postali secondari ed alcuni degli uffici più importanti chiudono all'ora di pranzo per un'ora.

Certi uffici hanno un orario diverso: Trafalgar Square Branch, 24–28 William IV Street, Londra WC2. Lunedì – sabato dalle 8.00 alle 20.00, (la domenica e le feste nazionali, eccetto il giorno di Natale, dalle 10.00 alle 17.00). London Chief Office, King Edward Street, Londra EC1. Da lunedì a venerdì dalle 8.00 alle 19.00 (mercoledì alle 20.30). Aperto il sabato dalle 9.00 alle 12.30. Chiuso per le feste nazionali. London Heathrow Airport, ai Terminal 1, 2 e 3 dalle 8.30 alle 18.00 (venerdì dalle 9.00 alle 18.00); ai Terminal 2 e 3 sono anche aperti dalle 9.00 alle 13.00 di sabato.

1.4.4 Orari d'ufficio

Gli orari d'ufficio vanno normalmente dalle 9.00 alle 17.30 dal lunedì al venerdì. Alcuni uffici usano un orario detto *Flexitime* che permette agli impiegati un' orario di entrata ed uscita flessibile. C'è comunque un periodo di tempo centrale, o *core time* di solito dalle 10.00 alle 12.00 e dalle 14.00 alle 16.00, durante il quale tutti devono essere al lavoro.
Le scuole: sia le scuole elementari che le scuole secondarie cominciano alle 9 circa e finiscono alle 15/15.30.

1.4.5 Vita familiare

La maggior parte della gente si alza tra le 7 e le 8. (I pendolari che lavorano a Londra di solito partono da casa alle 7 di mattina e rientrano alle 7 di sera.) Il pasto principale della giornata è quello della sera. L'orario dipende dalla distanza dal luogo di lavoro. Nel nord la gente tende a mangiare prima, circa alla sei. Quando la gente va a mangiare fuori, il pranzo si terrà più tardi, circa alle 8. Di solito la gente è a letto entro le 11. Questo naturalmente varia secondo la distanza dal luogo di lavoro e l'età.
Le ore di lavoro settimanali sono di solito da 35 a 40, ma molte persone lavorano di più per fare del lavoro straordinario non obbligatorio. La grande maggioranza dei dipendenti lavora cinque giorni alla settimana.

Gli inglesi dedicano la maggior parte del tempo libero ad attività che si svolgono in casa o frequentano e si divertono con parenti ed amici. La televisione è il passatempo più diffuso per tutti, tranne i giovani di sesso maschile. (La popolazione sopra i 5 anni di età passa una media di 20 ore settimanali alla televisione.)

Altri divertimenti diffusi sono il bricolage, l'andare a mangiar fuori o al pub, il giardinaggio, la pesca e le gite in campagna e al mare. La metà circa delle case inglesi ospita un animale domestico. Dopo il camminare (sia per le donne che per gli uomini), il biliardo, con o senza stecca, è il passatempo preferito dagli uomini, seguito dal nuoto e dal calcio. Il nuoto è la seconda tra le attività preferite dalle donne.

Il numero di giorni di ferie è aumentato per la maggior parte dei dipendenti e più del 90% ha diritto ad un periodo base di ferie di quattro settimane. Il periodo più importante per le ferie va da Maggio a Settembre. Un numero sempre maggiore di persone passa le vacanze all'estero e la Spagna è la meta preferita.

1.4.6 Feste nazionali

Tutte le banche, molti negozi, ristoranti e stazioni di servizio sono chiusi nei giorni di festa nazionale o *Bank Holiday*.
I trasporti pubblici fanno orario ridotto di domenica.
1 Gennaio – New Year's Day
2 Gennaio – Festa nazionale (Solo in Scozia)
Venerdì Santo – Festa nazionale
Lunedì di Pasqua – Festa nazionale (eccetto in Scozia)
Queste ultime due festività variano ogni anno, poichè dipendono dalla data della domenica di Pasqua.
Primo Lunedì di Maggio – May Day, festa nazionale
Ultimo Lunedì di Maggio – Spring Bank Holiday
Ultimo Lunedì di Agosto – Summer Bank Holiday
25 Dicembre – Natale
26 Dicembre – Boxing Day (giorno delle mance di Natale).
Quando il Boxing Day cade di domenica, il lunedì seguente è festa nazionale.

□ 1.5 Tassa sul valore aggiunto (VAT)

La VAT è applicata sulla maggior parte delle merci vendute nel Regno Unito ed è inclusa nel prezzo in mostra. Se siete un *European Community Traveller*, cioè se vivete nella Comunità Europea e avete intenzione di lasciare il Regno Unito entro tre mesi dalla data di un vostro acquisto, potete ottenere un rimborso della VAT pagata. Viene applicato un 3% su merce di valore inferiore a 500 sterline, viene rimborsata per intero per merce del valore superiore a 500 sterline. Fate attenzione all'insegna *Tax Free* sulle vetrine o chiedete all'interno del negozio. Portate il vostro passaporto quando siete a fare spese e assicuratevi che vi sia dato un *Tax Free Shop Voucher* quando fate acquisti. Mostrate il vostro voucher e ciò che avete comprato alla dogana quando lasciate il Regno Unito. Il voucher dovrà essere timbrato e firmato. Prima di partire impostatelo. (Vi sarà data una busta quando comprerete della merce e non sarà necessario affrancarla.) Se non potete farvi timbrare il voucher nel Regno Unito, potete farlo timbrare nel vostro paese alla dogana o alla polizia e poi impostarlo indirizzato a: London Tax Free Shopping, Norway House, 21–24 Cockspur Street, London SW1Y 5BN, UK.

□ 1.6 Pesi e misure

Misure metriche ed equivalenti (Metric measures and equivalents):

Lunghezza (Length):

1 millimetro (millimetre) (mm)		= 0.0394 pollice (inch) (in)
1 centimetro (centimetre) (cm)	= 10 mm	= 0.3937 in
1 metro (metre) (m)	= 100 cm	= 1.0936 iarda (yard) (yd)
1 kilometro (kilometre) (km)	= 1000 m	= 0.6214 miglia (mile)

Superficie (Area):

1 cm quadrato (squared) (cm^2)	= 100 mm^2	= 0.1550 in^2
1 m quadrato (squared) (m^2)	= 10 000 cm^2	= 1.1960 yd^2
1 ettaro (hectare) (ha)	= 10 000 m^2	= 2.4711 acri (acres)
1 km quadrato (squared) (km^2)	= 100 ha	= 0.3861 $mile^2$

Volume/Capacità (Volume/Capacity):

1 cm cubico (cubic) (cm^3)		= 0.0610 in^3
1 decimetro ($decimetre^3$) (dm^3)	= 1000 cm^3	= 0.0353 ft^3
1 metro (m^3)	= 1000 dm^3	= 1.3080 yd^3
1 litro (litre) (l)	= 1 dm^3	= 1.2200 gallone (gallons)(gal)
1 ettolitro (hectolitre) (hl)	= 100 l	= 21.997 gal

Peso (Mass/Weight):

1 milligrammo (milligram) (mg)		= 0.0154 grano (grain)
1 grammo (gram) (g)	= 1000 mg	= 0.0353 oncia (ounce) (oz)
1 kilogrammo (kilogram) (kg)	= 1000 g	= 2.2046 libbra (pound) lb
1 tonnellata (tonne) (t)	= 1000 kg	= 0.9842 ton

Misure inglesi ed equivalenti (British measures and equivalents):

Lunghezza (Length):

1 pollice (in)		= 2.54 cm
1 piede (foot) (ft)	= 12 in	= 0.3048 m
1 iarda (yd)	= 3 ft	= 0.9144 m
1 miglio (mile)	= 1760 yd	= 1.6093 km

Superficie (Area):

1 in^2		= 6.4516 cm^2
1 yd^2	= 9 ft^2	= 0.8361 m^2
1 acro (acre)	= 4840 yd^2	= 4046.9 m^2
1 $mile^2$	= 640 acres	= 2.29 km^2

Volume/Capacità (Volume/Capacity):

1 in^3		= 16.387 cm^3
1 ft^3	= 1728 in^3	= 0.0283 m^3
1 oncia fluida (fluid ounce) (fl oz)		= 28.413 ml
1 pinta (pint) (pt)	= 20 fl oz	= 0.5683 l
1 gal	= 8 pts	= 4.5461 l

Peso (Mass (Weight)):

1 oncia (oz)	= 437.5 grains	= 28.35 g
1 libbra (lb)	= 16 oz	= 0.4536 kg
1 hundredweight (cwt)	= 112 lb	= 50.802 kg
1 ton	= 20 cwt	= 1.016 t

Temperatura Celsius/Fahrenheit:

Celsius	0	05	10	15	20	25	30	35	40	60	80	100
Fahrenheit	32	40	50	60	70	75	85	95	105	140	176	212

Velocitá (Speed):

20	30	40	50	60	70	80	90	100	mph
32	48	64	80	96	112	128	144	160	km/h

Nota: La maggior parte degli inglesi non ha accettato la decimalizzazione, perchè non è stata resa obbligatoria. Se chiedete a qualcuno quanto pesa, vi risponderà in *stones* o in libbre e vi dirà la sua altezza in piedi e pollici; la gente compra ancora la frutta e la verdura in libbre e once, dà il consumo di benzina in miglia per gallone, compra case con terreni misurati in acri e tappeti un tanto a yarda quadrata. La maggior parte dei libri di cucina danno le ricette usando come unità di misura le libbre, le once e le pinte, ma aggiungono una tavola di conversione.

1.6.1 Taglie del vestiario

Vestiario femminile

Abiti, cappotti, maglie, camicette:

Americane	–	8	10	12	14	16
Inglesi	8	10	12	14	16	18
Continentali	–	38	40	42	44	46

Scarpe:						
Americane	6	6½	7	7½	8	8½
Inglesi	4½	5	5½	6	6½	7
Continentali	38	38	39	39	40	41

Vestiario maschile

Abiti, cappotti, maglie:							
Americane/Inglesi	34	36	38	40	42	44	46
Continentali	44	46	48	50	52	54	56

Camicie:							
Americane/Inglesi	14½	15	15½	15¾	16	16½	17
Continentali	37	38	39	40	41	42	43

Scarpe:						
Americane	8	8½	9½	10½	11½	12
Inglesi	7	7½	8½	9½	10½	11
Continentali	41	42	43	44	45	46

□ 1.7 Servizi sanitari

In Gran Bretagna tutti i contribuenti fiscali, datori di lavoro e dipendenti pagano tasse a vantaggio del *National Health Service* (*NHS*), che fornisce una vasta gamma di servizi pubblici. Molti servizi sono gratuiti ed alcuni lo sono anche per tutti i turisti stranieri in Gran Bretagna. Controllate presso la vostra USL quali servizi potete ottenere gratuitamente.

Se volete una qualche cura, dovete in primo luogo andare da un medico generico (*general practitioner*), prendendo appuntamento al suo ambulatorio. Si può chiedere a qualunque GP di essere curati come residenti temporanei. Potete trovare un elenco di medici nelle *Yellow Pages* (alla voce – Doctors Medical) o presso una biblioteca locale. Oppure potete chiedere consiglio a qualche conoscente che abita in Gran Bretagna. Se avete bisogno di una medicina il dottore vi farà una ricetta, *prescription*, che deve essere portata ad un farmacista. L'insegna delle farmacie è una croce verde su campo bianco. Si può trovare una farmacia *Boots*, che fa parte di una catena di farmacie, in quasi tutte le città. Si dovrà pagare un ticket sulle medicine. In ogni città ci sono farmacie che fanno orari prolungati, guardate nei giornali locali o chiedetelo in una bibiloteca. Se avete qualche disturbo di poco conto, potete andare direttamente in farmacia e chiedere un consiglio al farmacista, *pharmacist*, che vi darà una qualche medicina per la quale non è prevista ricetta o vi consiglierà di andare da un medico.

Se il medico generico (GP) pensa che abbiate bisogno di una visita specialistica, vi fisserà un appuntamento presso un ospedale.

In casi di emergenza, potete andare direttamente al reparto *Casualty* (detto anche *Accident and Emergency*) dell'ospedale più vicino. Le cure sono gratuite. Se vi occorre un'autoambulanza, *ambulance*, telefonate al 999 (non è necessario inserire monete nei telefoni pubblici per chiamare questo numero) e chiedete un'autoambulanza.

Se i vostri denti vi creano problemi, dovrete prendere un appuntamento con un *dentist*. Per avere un elenco dei dentisti consultate le *Yellow Pages* alla voce *Dental Surgeons*. La visita sarà più cara per i pazienti privati.

2 Galateo

□ 2.1 Differenze nell'uso della lingua

In inglese si possono usare vocaboli e strutture grammaticali diverse per dare un'impressione di:
rispetto o familiarità
formalità o confidenza
franchezza o reticenza
Linguaggio formale: Il linguaggio è sempre più formale quando si scrive a qualcuno che non si conosce o ad una persona a noi superiore per grado o età. Paragonate i seguenti esempi:

(a) The Chairman stated that it would be expedient to seek alternative premises for the storage of the automobile parts.
(b) Pete said we'd have to find another place to keep the car parts.

Il primo esempio è molto formale e si troverebbe solo nella lingua scritta, mai in quella parlata. Oggi si tende ad usare meno la lingua formale, preferendo il tipo di lingua intermedio negli esempi dati sotto. (V. anche Sezione A 3.6.)

Formale	**Neutro**	**Confidenziale**
(scritto)	(scritto e parlato)	(parlato)
reside	live	live
offspring	children	kids
convenience/lavatory	toilet	loo
ladies	women	birds
gentlemen	men	guys, chaps, blokes

□ 2.2 Cortesia

Come regola generale gli inglesi sono più cortesi con gli estranei e con le persone superiori per grado o età, sono anche più gentili quando si trovano in una situazione di debolezza, per esempio quando vogliono qualcosa che può essere difficile ottenere. Usano un linguaggio più confidenziale con le persone a loro più care, come i familiari, gli amici, gli innamorati.

Un'altra regola generale è che le frasi più lunghe rendono le richieste più gentili.

What? — Confidenziale
Sorry?
Pardon?
I beg your pardon?
Repeat that, can you?
Repeat that, will you?
Repeat that, would you?
Would you repeat that?
Could you possibly repeat that?
Would you please repeat that?
Could you possibly repeat that please?
I wonder if you would repeat that please?
I wonder if you would mind repeating that please?
I wonder if you would be so good as to repeat that for me please? — Formale

Un'eccezione all'uso di un linguaggio formale e cortese con gli estranei si trova negli avvisi

NO SMOKING   NO SERVICES ON M25   CHEQUES WILL ONLY BE ACCEPTED WITH A BANKER'S CARD

Sorry e *thank you*: Agli stranieri sembra che gli inglesi facciano un grande uso di *sorry – thank you*:

Se urtate qualcuno – sorry
Se vi dimenticate di mettere lo zucchero nel caffè di qualcuno – sorry
Se qualcuno vi dà il passo – thank you
Se qualcuno vi passa il sale – thank you

Sorry and *thank you* non hanno un'implicazione emotiva, se siete veramente dispiaciuti, fate le vostre scuse aggiungendo una motivazione:

Lingua scritta: – Let me apologize for your order not being delivered on the due date and for the problems that this has caused. This was because of the recent strike by customs officials.

Lingua parlata: – I'm really sorry I'm late. I misread the timetable.

Linguaggio diretto: In generale gli inglesi evitano di usare un linguaggio diretto se non si tratta di qualcosa di estremamente urgente o se non hanno già tentato più volte inutilmente di ottenere ciò che desiderano.

Per esempio:

May I use your calculator? — Linguaggio diretto
Do you happen to have a calculator I can borrow?
I haven't got a calculator on me.
I've left my calculator in my suitcase. — Linguaggio indiretto

Conclusione: Un uomo d'affari inglese può sembrare ad uno straniero incerto o perfino ambiguo, quando in realtà sta solo cercando di usare un linguaggio educato e indiretto.

□ 2.3 Ospitalità

Se siete invitati per un pranzo a casa di qualcuno, specialmente se di sera, portate una bottiglia di vino *o* dei fiori *o* qualcosa di speciale del vostro paese. Se siete invitati per le otto, non arrivate prima delle otto, ma neppure più di 15 minuti dopo. Non esistono frasi inglesi di cortesia da dire prima di iniziare a mangiare, ma potrete dire: *That looks good* oppure *It smells delicious/ wonderful*. Se dovete accudire un inglese nel vostro paese, ricordatevi che gli inglesi non amano essere accuditi per tutto il tempo. Paul Theroux, americano, ha scritto degli inglesi (e non degli scozzesi, gallesi o irlandesi) che essi hanno sempre un'estrema paura di creare disturbo o di essere troppo invadenti.

□ 2.4 Il pub

Il *pub* è una tipica istituzione britannica e ce n'è sempre uno vicino, quando si è in Gran Bretagna. È essenzialmente un luogo dove incontrarsi, stare insieme e rilassarsi. Non è il posto adatto per serie discussioni d'affari. Nella maggior parte dei pub si può mangiare, lo standard dei piatti varia da pub a pub, ma mangiare nel pub è di solito meno caro che nei ristoranti. I pub hanno più sale dove viene servito da bere: il *public bar* che è sala dove si possono trovare anche giochi, musica e videogiochi, il *lounge bar* che è di solito la sala più tranquilla e più piacevole.

Nei pub le bibite si ordinano al banco, insieme a quanto si vuole ordinare da mangiare e si deve pagare subito. Si paga al banco ogni volta che si ordina, nessuno verrà a chiedervi l'ordinazione al tavolo. Ricordatevi che per prendere da bere la gente si deve alzare dal tavolo e quindi, se state cercando un posto dove sedervi chiedete: *Is this seat free*? prima di occupare il posto. Il prezzo non cambia sia che beviate al bar o vi sediate. Di solito, quando si è in un gruppo di amici, a turno ognuno si alza per prendere e pagare da bere agli altri. Questa abitudine si chiama comprare da bere in *rounds*. Se è il vostro turno direte: *What are you having*? *What would you like*? *It's my round. What'll it be*? Quando si va a prendere di nuovo da bere si riporta il bicchiere vuoto al bar. Nei pub non si aspettano di ricevere mance. In inglese, quando si fa un brindisi, si dice *Cheers*.

La bevanda alcoolica più comune è la birra, la classica birra inglese e il tipo detto *lager*. La birra inglese tradizionale non è servita molto fredda e non è gasata come le birre americane o europee. La maggior parte dei pub ha più tipi di birra. La *mild* è dolce e non così forte come la *bitter*. La *Guinness* è una birra irlandese, forte, scura e dal sapore amaro.

Al *time* non si può più vendere da bere. Di solito il proprietario del pub grida *Last orders* o suona una campana per avvisarvi dieci minuti prima del *time*.

□ 2.5 Le code

Ricordatevi che per ogni servizio pubblico, banche, autobus, gabinetti, supermercati, cinema, teatri, ecc., gli inglesi *queue*, cioè aspettano uno dietro l'altro finchè non è il loro turno. Non cercate di saltare la coda poichè la gente si irrita molto. Nei pub e nei negozi piccoli non ci si allinea in coda, ma si aspetta ugualmente il proprio turno cercando di ricordarsi chi è arrivato per primo.

□ 2.6 Saluti

Normalmente gli inglesi non stringono la mano e non si baciano quando si salutano. Si stringono la mano solo al momento delle presentazioni, specialmente tra uomini d'affari. Quando parlate a qualcuno che non conoscete *non* dite mai *Mr* o *Mrs* poichè questi titoli sono usati solo se seguiti dal nome: *Mr West*. Se volete attirare l'attenzione di uno sconosciuto dite *Excuse me*. Per quel che riguarda l'atteggiamento degli inglesi verso gli stranieri, Paul Theroux osservava: '. . . gli inglesi non fanno alcuna concessione agli stranieri di qualunque nazionalità. Non erano nè ostili nè pronti all'amicizia. In ogni caso, parlare o chiaccherare non era di per sè considerato un atteggiamento cordiale in Inghilterra come invece negli Stati Uniti. Parlare con gli estranei era considerato quasi una sfida in Inghilterra, poichè implicava l'entrare in un terreno minato di distinzioni verbali, che sono anche distinzioni sociali. Meglio restare in silenzio. . . . Gli inglesi erano tolleranti, nel senso che erano disposti a chiudere un occhio su quasi tutto ciò che potesse imbarazzarli. Erano comprensivi, ma erano anche timidi.'

□ 2.7 Le mance

Si dà di solito la mancia nei ristoranti quando il servizio non è incluso nel conto. La mancia è generalmente il 10–15% del conto. I tassisti si aspettano una mancia del 10% circa. Non si dà di solito la mancia nelle rosticcerie, nei pub, nei garage o nei cinema e negli altri luoghi di svago.

□ 2.8 Il tempo

Poichè il tempo è così variabile, se ne parla spesso nei dialoghi di convenienza (V. Sezione B 1.4.2).

Commento:			Risposta:
Nice Lovely	day,	isn't it?	Yes, isn't it.
Awful Terrible	weather,		
Not very nice Not so nice today	is it?		No, it isn't.

Il tempo dipenderà dalla stagione e dalla fortuna. Non c'è molta differenza tra le temperature estive ed invernali come in altri paesi. I mesi più freddi sono di solito gennaio e febbraio con una temperatura invernale media di 4,5°C e i mesi più caldi luglio e agosto con una media estiva di circa 15,5°C. Naturalmente può piovere in qualunque momento, anche se quando vi alzate il cielo è azzurro.

Uno degli effetti del tempo in Inghilterra è che gli inglesi passano più tempo in casa di quanto non avvenga nelle altre nazioni con clima migliore. Ciò contribuisce alla fama di riservatezza che gli inglesi hanno.

3 Servizi postali internazionali

L'elenco che segue indica brevemente alcuni dei principali servizi postali. Una guida completa a tutti i servizi offerti dalle Poste è *The Post Office Guide*, che si può trovare negli uffici principali.

Advice of Delivery Il mittente riceve un avviso di consegna quando la lettera o pacco giunge a destinazione. Il servizio riguarda solo le lettere o pacchi spediti come raccomandata e assicurati.

Direct Mail Lettere e cartoline, con la tariffa *First* o *Second Class*, mandate ai clienti in modo che possano rispondere senza pagare l'affrancatura.

Express Delivery Fa parte del servizio *Swiftair* e comporta consegna tramite fattorino nell'area dell'ufficio postale. Questo servizio può essere usato per gli articoli che non sono accettati dal servizio *Swiftair*.

Franc de Droits Per i pacchi. Il mittente paga dazi e tasse doganali richieste nel paese di destinazione.

Insurance Per lettere e pacchi. Viene data ricevuta di impostazione, maggior attenzione nella spedizione, ricevuta di consegna e assicurazione fino ai limiti massimi permessi.

International Datapost Servizio di corriere veloce in tutto il mondo. Adatto per pacchi urgenti da spedire all'estero.

International Reply Coupon Un sistema per pagare l'affrancatura di risposta ai destinatari stranieri.

Letters and letter packets Verso i paesi europei: esiste un solo tipo di servizio chiamato *All-up*. Fuori dell'Europa si può scegliere tra consegne via aera o non. Per le *letter packets* è richiesta la documentazione doganale. È il modo più semplice di spedire pacchi fino a due kili.

Printed Papers Verso i paesi europei: solo servizi via terra. Fuori Europa: scelta tra via aerea o via terra. Tariffe ridotte per pubblicità, listini prezzi, ecc.

Registration Dà ricevuta di spedizione e consegna (se richiesta) e un piccolo rimborso in caso di perdita o danni.

Swiftair È un servizio più veloce della posta ordinaria ed è disponibile per lettere e stampati in tutti i paesi. Include consegna espresso in quei paesi dove il servizio è disponibile.

La documentazione doganale è richiesta per tutto, eccetto che per le lettere e gli stampati. Il nome e l'indirizzo del mittente deve apparire sui pacchi piccoli e dovrebbe essere scritto su tutta la corrispondenza per l'estero.

Le ferrovie fanno un servizio detto *Red Star* di spedizione espresso per pacchi verso i paesi europei e all'interno del Regno Unito. Le merci possono essere ritirate a destinazione o consegnate al destinatario. Cercate il numero alla voce *British Rail* sull'elenco telefonico o rivolgetevi ad un ufficio *Red Star*, presente nella maggior parte delle stazioni principali.

4 Telecomunicazioni

□ 4.1 Servizi del British Telecom (BT)

Il *British Telecom* è una *public limited company*. La licenza ottenuta obbliga la società ad assicurare la continua esistenza di un servizio universale di telecomunicazioni in tutto il paese, nonchè a garantire altri servizi essenziali come quello delle cabine telefoniche pubbliche e l'assistenza in casi di emergenza pubblica, compreso il settore della navigazione. La società *Mercury Communications Limited* ha avuto la licenza come seconda maggior rete pubblica di telecomunicazioni.
Nell'elenco che segue sono spiegati brevemente alcuni servizi telematici.
Servizi di teleconferenza:

Business Television Offre alle ditte un collegamento permanente con altre sedi in tutto il mondo. Le due sedi sono in grado di comunicare tra di loro a voce.

Conference Call È il servizio Telecom *meet-by-phone*. Se volete fare una riunione con persone in diverse parti del mondo, tutti i partecipanti possono fare un unico numero telefonico all'ora stabilita. Il servizio è effettuato sulle normali linee telefoniche.

Conference 2000 È un'unità che permette a due gruppi, di massimo venti persone, geograficamente separati di parlare via telefono. Consiste in un'unità combinata di microfono e altoparlante, un'unità di controllo e un telefono a spina.

Confertel Bridge Permette di fare una riunione con un certo numero di utenti telefonici, in qualunque parte del mondo, usando le normali linee telefoniche. È operato dall'utente.

Confravision Permette a gruppi di persone, sia all'interno del Regno Unito che a livello internazionale, di fare incontri 'faccia a faccia'.

International Videoconferencing Un servizio telematico video che permette un collegamento audio e video nelle due direzioni tra due sale lontane. Piccoli gruppi di persone in due sale lontane, che possono essere le sale pubbliche per riunioni della *BT* o una sala allestita all'interno di una ditta, possono vedersi ed ascoltarsi. Possono essere mostrate diapositive, testi, diagrammi o proiezioni.

Servizi di informazione e directory.

Business Information Centre Biblioteca e servizi di informazione sulle tecniche informative e gli sviluppi di mercato. Fornisce anche informazioni aggiornate su ditte, prodotti e servizi nel Regno Unito e all'estero.

Business Pages Directory per operatori commerciali, è pubblicata in sette edizioni annuali, che in totale include informazioni su più di 400.000 ditte. Ogni edizione copre un centro commerciale e industriale di rilevanza nazionale.

Citiservice È un servizio *Prestel* che dà informazioni aggiornate dai vari mercati finanziari mondiali sull'andamento delle borse, l'indice dei prezzi, la contrattazione delle opzioni, le quotazioni delle valute, i tassi d'interesse, le quotazioni dei fondi nonchè informazioni e analisi finanziarie. Vedere anche *Prestel*.

Hotline Una banca dati per informazioni commerciali. *Hotline* copre i mercati europei, le società e le situazioni di mercato traendo i suoi dati dalle più autorevoli pubblicazioni finanziarie del mondo.

Phone Books Oltre ad elenchi di nomi e numeri, i Phone Books danno i prefissi telefonici internazionali, i numeri dei servizi pubblici e informazioni sui servizi pubblici e i divertimenti oltre ad informazioni generali sui prodotti e i servizi britannici. Sono stati stampati 128 libri che coprono l'intera nazione.

Fax Directory È l'elenco degli abbonati telefax.

Prestel È il servizio pubblico video della *British Telecom* che collega gli apparecchi televisivi e certi terminali a computer sulle linee telefoniche in modo che una larga gamma di informazioni, registrate e aggiornate su computer (il servizio è nelle due direzioni), possa raggiungere gli uffici e le abitazioni. Il fatto che il servizio possa essere nelle due direzioni permette all'utente di 'parlare' al computer, per chiedere, per esempio, l'invio di opuscoli o prenotazioni di alberghi e biglietti aerei.

Yellow Pages Circa 250.000 utenti si fanno pubblicità attraverso le *Yellow Pages*, che coprono l'intera nazione con 66 volumi. I nomi e gli indirizzi delle ditte sono divisi per categorie merceologiche. Tutti gli abbonati al telefono ricevono le *Yellow Pages* della loro area.

Servizi telefonici gratuiti:

Freefone Un servizio a centralino che permette ai clienti di una ditta di chiamarla gratuitamente. La ditta pagherà la chiamata. Si deve fare il 100 e dare il numero o il nome del *Freefone*.

International 0800 Lo stesso servizio di cui sopra dall'estero. Le chiamate possono essere fatte direttamente dagli Stati Uniti, Australia, Canada, Francia, Danimarca, Italia, Paesi Bassi, Svezia, Svizzera e Germania ovest.

Altri servizi commerciali:

Network Nine Gli abbonati della *Network Nine's City Connection* possono usufruire occasionalmente di un ufficio completamente equipaggiato. I *Business Centres* offrono agli operatori economici un luogo dove tenere incontri, svolgere o avere assistenza in lavori di segreteria, mandare telex o telefax. I clienti possono anche noleggiare un ufficio completamente ammobiliato per tre mesi o più.

Translation Services Offrono essenzialmente un servizio di traduzioni documenti, ma anche traduzioni veloci in olandese, francese, tedesco, italiano, portoghese, spagnolo e, dietro accordo, anche in altre lingue. Fanno anche traduzioni di telefonate, sia facendole direttamente che assistendo gli utenti con traduzione simultanea. Offrono anche servizi di interpretariato per incontri o congressi. Tel: Londra (01) 836 5432.

Westminster Communications Centre Con sede al 1a Broadway, London SW1, fornisce servizi telematici per turisti e operatori. I clienti possono fare chiamate telefoniche, mandare telex o documenti per telefax, farsi battere a macchina lettere o rapporti, mandare telegrammi e fonogrammi e fare fotocopie. Si possono noleggiare anche strumenti di lavoro come un telefono portatile o un interfono. Il centro è aperto dalle 9.00 alle 19.00, sette giorni la settimana. Tel: Londra (01) 222 4444.

Bureaux È un servizio di spedizione telefax per l'interno e per l'estero. La sede è al Bureaufax International Centre, Electra House, Victoria Embankment, London WC2R 3HL. Tel. Londra (01) 836 5432.

Intelpost È un servizio delle Poste e può essere usato per mandare telefax a chiunque possieda un telefax o meno. I messaggi o i documenti possono essere mandati da un ufficio postale con la sigla dell'Intelpost o da un telefax o un telex. Per ulteriori informazioni telefonate al 100 e chiedete del *Freefone Intelpost*.

□ 4.2 Telefoni

Payphones I Blue Payphone sono oggi le più comuni cabine telefoniche pubbliche. Da questo tipo di cabina si possono fare chiamate locali, interurbane e internazionali. Accettano tutte le monete tranne quelle da 1p e restituiscono le monete non utilizzate. Se non vi fate restituire le monete potete fare altre telefonate con il restante credito. Prima di premere i tasti per fare il numero che desiderate dovete inserire le monete. Quando invece chiamate da una vecchia cabina del tipo *Pay-on-Answer*, prima fate il numero e solo quando udite dei rapidi pip inserite monete da 10p, questo tipo di cabine infatti accettano unicamente monete da 10p. Nelle cabine *Blue Payphone* si mette il denaro prima e poi si fa il numero.

I telefoni chiamati *Creditcall* permettono di fare chiamate usando carte di credito come *Access*, *American Express*, *Diner Club*, o *Visa*. Si inserisce la carta di credito nel lettore e si fa il numero. Il costo è addebitato sul conto del possessore della carta di credito.

Phonecard Phone utilizza schede prepagate invece delle monete. Le schede, in tagli da 10, 20, 40, 100, e 200 unità si possono comprare dagli uffici postali, rivendite di tabacchi e giornali che espongono il simbolo *Phonecard*.

Tutti *i numeri di Londra* hanno il prefisso 01 seguito da sette numeri. Se siete a Londra non fate lo 01. Se la chiamata che fate non è locale dovete sapere il prefisso del distretto telefonico che volete chiamare. I prefissi sono elencati all'inizio dell'elenco del telefono o potete chiederli al centralino.

Emergency Calls Fate il 999 e chiedete *Police, Ambulance* o *Fire Service*. Queste telefonate sono gratuite.

Directory Enquiries Fate il 192. Vi possono dare un numero che non conoscete se avete il nome della persona o della ditta e la città. Vi possono anche dare i numeri degli altri servizi telefonici, incluso l'*International Directory Enquiry* e i prefissi internazionali. Per i numeri di Londra fate il 142.

Operator Per comunicazioni pagabili all'arrivo o per ogni difficoltà, fate il 100. Una telefonata fatta tramite centralino costa di più di una telefonata diretta, ma conviene oltre 35 miglia (56 km). L'operatore può anche fare una chiamata *A, D* e *C* (*advice duration and charge*), con la quale vi viene comunicato l'importo della chiamata.

All'inizio degli elenchi di ogni distretto si possono trovare i numeri telefonici per aver informazioni sul tempo, l'ora, le notizie finaziarie, le condizioni del traffico, ecc. Per i telegrammi internazionali fate il 193.

Segnali del telefono:
Il segnale *dial* significa che potete fare il numero ed è un continuo brrrrrrrrrr
Il segnale *ringing* significa che l'altro telefono è libero ed è br brr brr brr brr brr brr
Il segnale *engaged* significa che stanno usando l'altro telefono ed è un acuto bur bur bur
Il segnale *number unobtainable* significa che l'altro telefono ha qualche problema e il segnale è un acuto beeeeeeeeeeee
Il segnale *pay* nei telefoni pubblici significa che dovete inserire altro denaro ed è un acuto beepbeepbeepbeep.

□ 4.3 Chiamate internazionali

Per l'*International Directory Enquiries* fate il 100. Per fare chiamate dirette, fate il 010 e poi il prefisso della nazione. Per esempio:

Per:	Francia	Germania	Italia	Spagna	USA
Da UK:	01033	01049	01039	01034	0101

Controllate la differenza di fuso orario prima di telefonare. Dalla fine di marzo circa all'inizio di ottobre il Regno Unito si sposta di un'ora avanti rispetto al *Greenwich Mean Time* (*GMT*), verso l'ora estiva europea.

Quasi tutte le nazioni europee sono un'ora avanti rispetto al *GMT*. La Grecia è due ore avanti. Gli Stati Uniti sono da 5 a 11 ore indietro rispetto al *GMT*, secondo quanto ad est dovete telefonare.

□ 4.4 Consigli sull'uso del telefono

Non chiamate una persona a casa per affari – se proprio dovete, fornite una scusa: *I'm sorry to call you at home but . . .*

Non usate il telefono degli altri a meno che non possiate fare diversamente e offrite di pagare la vostra telefonata.

Le chiamate tra le 9.00 e le 13.00 costano circa il 33% di più.

Quando rispondete al telefono dite prima il vostro nome e dopo il vostro cognome, a meno che non siate la centralinista, nel qual caso dite il nome della ditta.

Controllate se il vostro albergo fa pagare un extra per le chiamate dalle camere – sarà probabilmente più economico chiamare dalla hall.

Non chiamate con il solo nome proprio le persone che non vi sono state mai presentate.

Chiedete i numeri che non conoscete al centralino. Sebbene la consultazione dell'elenco telefonico sia gratuita, non sarete in grado di usarlo se non sapete come è scritto un nome, infatti, in molti casi, alla stessa pronuncia possono corrispondere nomi scritti in modo diverso. Per avere il numero è necessario che conosciate il cognome, le iniziali del/i nome/i proprio e l'indirizzo.

Usate il telefono per incassare i pagamenti – una telefonata è più convincente di una serie di lettere.

5 Fonti di informazioni

□ 5.1 Annuari, riviste, libri

Fonte	**Informazioni**
Ceefax (BBC) e *Oracle* (ITV) trasmettono pagine di dati sui televisori. (V. anche *Prestel* a Sezione C 4.1.)	Rapporti dalla borsa di Londra e dalle borse estere. Valute estere. Andamento dei prezzi. Previsioni del tempo. Servizi aerei e ferroviari. Notizie in breve. Divertimenti e sport. Guida al mangiare. Guide alle industrie manufatturiere e ai servizi. Informazioni governative.

Affari correnti ed economia:

Business Monitors (HMSO)	Statistiche aggiornate sulle industrie manufatturiere, energetiche, minerarie, distributive e dei servizi compilate dal *Business Statistics Office* (*BSO*).
Municipal Year Book and *Public Services Directory*	Amministrazioni locali.
Times Guide to the House of Commons	Membri del Parlamento.
Keesing's Record of World Events	Consultazione di notizie.
Monthly Digest of Statistics (HMSO)	Statistiche governative.
Hansard	Rapporti parlamentari.
Whitaker's Almanac	Affari mondiali, ambasciate britanniche ed estere, ministeri, membri del Parlamento, Banca d'Inghilterra, tribunali, EEC, ONU, commercio ed arti, pubblicato annualmente.
Britain: An Official Handbook	Una pubblicazione *HMSO*, rivista annualmente, con informazioni generali sulla Gran Bretagna, il governo ed altre istituzioni.
Who's Who	Biografie di uomini illustri viventi.
International Year Book, Statesman's Who's Who	Biografie di uomini di importanza internazionale.

Annuari e guide economiche

Directory of British Associations and Associations in Ireland	Associazioni professionali e commerciali, camere di commercio, sindacati.
Benn's Press Directory, Willings Press Guide	Giornali, riviste di commercio.
Kempe's Engineers' Year Book	Ingegneria.
Banker's Almanac and Year Book	Banche.
Directline	Informazioni economiche, carte e elenchi fornitori.
Financial Times International Year Books	Quattro guide annuali su società internazionali petrolifere, minerarie, assicurative e industriali.
UK Kompass	Registro del commercio e dell'industria britannica. Volume 1: prodotti e servizi; Volume 2: società geograficamente distribuite. Kompass ha anche volumi sull'Europa.

Kelly's Directory of Manufacturers and Merchants	Registro dei fabbricanti, grossisti e ditte dei servizi. Elenchi di importatori britannici per categoria merceologica ed esportatori internazionali.
Ryland's Directory	Liste di ditte e prodotti fabbricati e commercializzati. Usate dalle industrie di ingegneria britanniche.
Kelly's Street Directories	Volumi separati, per le principali città con elenchi delle strade, dei residenti, dei professionisti e delle ditte commerciali.
Europages	Elenchi di esportatori dal Belgio, Germania occidentale, Francia, Italia e Paesi Bassi. Classificato per categorie merceologiche e dei servizi con un'edizione per ogni paese nella lingua del paese in cui è distribuito.
UK Telex Directory	Elenco abbonati telex con numeri, sigle per nominativo e tariffe.
Yellow Pages	Nomi, indirizzi, numeri di telefono su base locale per categorie.
Post Office Guide	Servizi postali, *National Girobank*, servizio *Postal Order*.
Viaggi	
ABC Hotel Guide, AA Members Handbook, Good Food Guide, Michelin Guides, Egon Ronay's Cellnet Guides (hotels, restaurants and inns), *Egon Ronay's Pub Guide, Egon Ronay's PG Tips Guide* (light meals and snacks), *Egon Ronay's Minutes from the M25 Guide.*	Alberghi e ristoranti.
ABC Shipping Guide, Lloyds List and Shipping Gazette	Spedizioni.
ABC Coach and Bus Guide	Servizi autobus e pullman.
ABC Guide to International Travel	Informazioni sui passaporti, visti, certificati sanitari, clima, ecc. e sezioni con informazioni su ogni paese.
ABC World Airways Guide	Servizi aerei.
ABC Rail Guide	Servizi, orari e tariffe di tutti i servizi ferroviari nel Regno Unito.

Thomas Cook Continental Timetable	Pubblicato ogni mese. Servizi ferroviari e marittimi di ogni città europea. Orari del *Trans–Europe Express* e dei treni *InterCity*, passaporti, visti e regolamenti valutari.
Thomas Cook Rail Map of Europe	Linee passeggeri in tutta Europa.
Europe International Passenger Timetable (British Rail)	Orari e informazioni sui servizi *Eurocity*.
Hints to Exporters	Opuscoli pubblicati dal *British and Overseas Trade Board* su molte nazioni con consigli di viaggio, dogane, leggi sull'immigrazione, ecc.
InterCity Guide (British Rail)	Informazioni ed orari dei servizi *InterCity*.

□ 5.2 Indirizzi di organizzazioni che offrono servizi ed informazioni

Association of British Chambers of Commerce Sovereign House 212a Shaftesbury Avenue London WC2 H8EW	Informazioni e documentazione sulle esportazioni e sulla Cee, corsi e seminari, servizi telex e telefax, educazione, problemi legali, servizi di traduzione, biblioteche.
British Institute of Management Management House Cottingham Road Corby Northants NN17 1TT	Biblioteca e centro informativo su una vasta gamma di argomenti relativi al management. Il servizio BIM's ha collegamenti telematici con banche dati su base mondiale e può fornire informazioni di marketing e management e assetti societari.
British Overseas Trade Board 1–19 Victoria Street London SW1H 0ET	Fornisce un aiuto pratico che va dall'assistenza finanziaria alle informazioni specifiche ed è responsabile per il coordinamento e la direzione delle attività promozionali di esportazione.
Central Office of Information Hercules Road London SE1 7DU	Documenti sulla Gran Bretagna, il suo popolo, la sua cultura, il governo e l'amministrazione, i servizi sociali, gli affari economici, la scienza e la ricerca, gli affari esteri e la difesa.

Companies House 55 City Road London EC	Vende microfiche dei bilanci delle società.
Data Stream Monmouth House 57–64 City Road London EC1Y 2AL	Accesso a banche dati, continuamente aggiornati, danno anche consigli di management.
Dun & Bradstreet Ltd 26–32 Clifton Street London EC2P 2lY	Forniscono informazioni finanziarie a livello mondiale, specializzati in informazioni finanziarie e di marketing sulle aree londinesi.
Extel Services Ltd 37 Paul Street London EC2	Dati e analisi approfondite su società selezionate.
Information Services Division Cabinet Office Great George Street London SW1P 3AQ	Pubblicazioni statistiche governative del *Government Statistical Office*, del *Central Statistical Office*, del *Business Statistics Office* e del *Central Statistical Office*.
Institute of Marketing Moor Hall Cookham Maidenhead Berks Sl6 9QH	Collegamenti con istituti di marketing britannici e internazionali.
Institute of Purchasing and Supply Easton House Easton on the Hill Stamford Lincs PE9 3NZ	Centro base di documentazione per acquisti e vendite. Fornisce consigli, corsi di formazione e indica gli standard professionali.
International Chamber of Commerce Centre Point 103 New Oxford Street London WC1A 1DU	Fornisce informazioni e servizi promozionali per l'esportazione, inclusa l'organizzazione di visite e missioni commerciali in vari pesi.
Jordan and Sons Ltd Jordan House Brunswick Place London N1 6EE	Fornisce una vasta gamma di servizi sia a voce che scritti, da analisi approfondite su settori industriali alle forniture di mailing list.

London Business School Financial Services London Business School Sussex Place London NW1 4SA	Fornisce un servizio informativo finanziario chiamato '*Risk Measurement Service*'.
Simplification of International Trade Procedures Board (SITPRO) Almack House 26–28 King Street London SWY 6QW	Responsabili per i documenti di esportazione merci.

□ 5.3 Corsi di lingua in Gran Bretagna

Ci sono molti tipi di corsi, dall'inglese generale necessario a quanti fanno solo del turismo all'inglese specialistico necessario agli operatori economici, gli insegnanti, i medici, ecc.
Il *British Council* fornisce informazioni sui corsi in Gran Bretagna. Ha sedi di rappresentanza in molti paesi, così è una buona idea cercare informazioni presso una di queste sedi se volete studiare in Gran Bretagna. Controlla anche il livello delle scuole e dei collegi ogni tre anni. L'indirizzo nel Regno Unito è:
The British Council
10 Spring Gardens
London SW1A 2BN

Quando una scuola è approvata dal British Council può diventare membro della associazione *ARELS-FELCO*, un'organizzazione di scuole private. Indirizzi e informazioni su buone scuole si possono avere da:
ARELS-FELCO Ltd
125 High Holborn
London WC1Y 6QD

Anche molti associati al *CIFE* sono riconosciuti dal British Council. Il CIFE è un'organizzazione di collegi privati di educazione a livello superiore. Si possono avere informazionie da:
CIFE
P O Box 80
Guildford
Surrey GU1 2NL

BASCELT è l'organizzazione dei collegi di stato che fanno corsi di lingua. I collegi associati sono riconosciuti dal *British Council*. Un manuale con le informazioni sui corsi può essere richiesto a:
BASCELT
Hampstead Garden Suburb Institute
Central Square
London NW11 7BN

Anche il *British Tourist Authority*, che ha uffici in molti paesi, stampa un opuscolo sull'insegnamento della lingua in Gran Bretagna; potete richiederlo a:
British Tourist Authority
Thames Tower
Black's Road
Hammersmith
London W6 9EL

□ 5.4 Guide utili per gli stranieri che visitano la Gran Bretagna

English Learner's Diary, Keith and Ruth Car, English Immersion Publications.
Agenda con informazioni su come funzionano le cose in Gran Bretagna, il linguaggio da usare in varie situazioni e come cavarsela.

Discover Britain. C Lindop and D Fisher, Cambridge University Press.
Compendio di informazioni pratiche per stranieri con il linguaggio delle situazioni quotidiane. Gli argomenti includono itinerari, denaro, posti dove stare, vitto, pub e il tempo.

Dictionary of Britain, A Room, Oxford University Press.
Informazioni sui mass media, lo sport, i divertimenti, il cibo, l'educazione, il lavoro, l'arte, la storia e la geografia. Ogni argomento è spiegato in voci in ordine alfabetico.

Fitting In, J Hill, Language Teaching Publications.
Lingua ed informazioni per lo straniero che visita la Gran Bretagna. Affronta situazioni come lo shopping, le stazioni, il telefono, chiedere la strada, ecc.

ABBREVIAZIONI

	at the rate of	(Al tasso di)	
AA	Automobile Association	(Automobil Club Italiano)	ACI
ABTA	Association of British Travel Agents	(Associazione agenti di viaggio)	
AC	Alternating current	(Corrente alternata)	c.a.
a/c	Account [banking]	(Conto [banca])	c.to
AGM	Annual General Meeting	(Assemblea generale degli azionisti)	
am	Ante meridiem – morning	(Antimeridiano)	
APR	Annual percentage rate	(Tasso percentuale annuo)	
AWB	Air waybill	(Air waybill – Polizza di carico aerea)	AWB
BBC	British Broadcasting Corporation	(Radiotelevisione italiana)	RAI
B/D	Bank Draft	(Tratta accettata da banca)	
B/E	Bill of exchange	(Tratta)	
BIM	British Institute	(Istituto per le informazioni e l'istruzione a livello manageriale)	
B/L	Bill of Lading	(Polizza di carico)	B/L
BOTB	British Overseas Trade Board	(Istituto Commercio Estero)	ICE
BR	British Rail	(Ferrovie dello Stato)	FFSS
BST	British Summer Time	(Ora legale britannica)	
Btu	British thermal unit	Unità termica britannica	BTU
°C	[Degrees] Centigrade	(Grado centigrado)	°C
©	Copyright	(Copyright)	©
CAP	Common Agricultural Policy [EEC]	(Politica Agricola Comunitaria [CEE])	PAC
CBI	Confederation of British Industry	(Confederazione industria italiana)	CONFIN-DUSTRIA
cc	cubic centimetre	(centimetro cubo)	cc.
cc	carbon copy	(copia carbone)	c.
CET	Central European Time	(Ora centrale europea)	
C & F	Cost and freight	(Cost and freight – Costo e nolo)	C & F
CIF	Cost, insurance and freight	(Cost, insurance and freight – Costo, assicurazione e nolo)	CIF
cl	Centilitre	(Centilitro)	cl.

cm	centimetre	(Centimetro)	cm.
C/N	Credit note	(Nota di credito)	N/C
Co	Company	(Societá)	Soc.
COD	Cash on delivery	(Contrassegno)	
CR	Company's risk/Credit/ Creditor	(Rischio a carico del vettore/credito/creditore)	
CWO	Cash with order	(Contanti all'ordine)	
D/A	Deposit account [banking]	(Conto di deposito, vincolato)	
D/A	documents against acceptance	(Documenti contro accettazione)	D/A
DC	Direct current	(Corrente continua)	c.c.
DGN	Dangerous goods note	(Avviso di merci pericolose)	
D/N	Debit note	(Nota di debito)	N/D
D/F	Deferred payment	(Pagamento Differito)	
E & O E	Errors and omissions excepted	(Salvo errori ed omissioni)	S.E. & O.
ECGD	Export credits guarantee department	(Dipartimento per le garanzie dei crediti alla esportazione)	
EEC	European Economic Community also called Common Market	(Comunità Economica Europea, detta anche Mercato comune europeo)	MEC
EFTA	European Free Trade Area	(Associazione Europea di libero scambio)	EFTA
e.g.	For example	(Per esempio)	p.es.
EMA	European Monetary Agreement	(Accordo Monetario europeo)	AME
enc(s)/encl	enclosure(s)	(allegato/i)	All.
etc	Et cetera and so on	(eccetera)	ecc.
F	Fahrenheit	(Grado Fahrenheit)	F
FAS	Free alongside ship	(Franco sotto paranco)	FAS
Fax	Facsimile	(Telefax, facsimile)	Fax
FCL	Full container load	(Container a pieno carico)	
FOB	Free on board	(Franco a bordo)	FOB
FOQ	Free on quay	(Franco banchina)	
FOR	Free on Rail	(Franco ferrovia)	
GATT	General Agreement on Trade and Tariff	(Accordo generale sulle tariffe e sul commercio)	GATT
GMT	Greenwich Mean Time	(Ora di Greenwich)	
GNP	Gross National Product	(Prodotto Nazionale Lordo)	PNL
GP	General Practitioner	(Medico generico)	
GRN	Goods received note	(Nota merci ricevute)	

ha	Hectare	(Ettaro)	ha
HAWB	House air waybill	(Polizza di Carico aereo emessa da spedizionieri)	HAWB
hg	Hectogram	(Ettogrammo)	hg.
hl	Hectolitre	(Ettolitro)	hl.
hm	Hectometre	(Ettometro)	hm.
HMSO	Her Majesty's Stationery Office	(Istituto poligrafico di Stato)	IPS
HS	Harmonized system	(Sistema di armonizzazione)	
IATA	International Air Transport Association	(Associazione Internazionale di Trasporto Aereo)	IATA
IDD	International direct dialling	(Teleselezione internazionale)	
i.e.	That is	(Cioè)	
IMF	International Monetary Fund	(Fondo Monetario Internazionale)	FMI
Inc.	Incorporated	(Tipo di società per azioni)	
ISO	International Standards Organisation	(Organizzazione internazionale per la Standardizzazione)	
Kg	Kilogram	(Chilogrammo)	Kg.
Kl	Kilolitre	(Chilolitro)	Kl.
Km	Kilometre	(Chilometro)	Km.
Kw	Kilowatt	(Chilowatt)	KW
l	Litre	(Litro)	l.
lb	Pound [weight]	(Libbra)	
L/C	Letter of credit	(Lettera di credito)	L/C
LCL	Less than container load	(Container non a pieno carico)	
Ltd.	Limited	(A responsabilità limitata)	srl.
m	Metre	Metro	m.
MD	Doctor of Medicine	(Dottore in medicina)	Dott.
MFNT	Most Favoured Nation Tariff	(Tariffa della nazione più favorita)	
mg	Milligram	(Milligrammo)	mg.
ml	Millimetre	(Millimetro)	ml.
MLR	Minimum lending rate	(Tasso minimo di sconto)	
MP	Member of Parliament	(Deputato, Onorevole)	On.
mph	Miles per hour	(Miglia all'ora)	
n/a	Not applicable / non-acceptance	(Non applicabile/Non accettazione)	
NB	Nota bene / note well	(Nota bene)	NB

NCV	No commercial value	(Privo di valore commerciale)	
NHS	National Health Service	(Unità Sanitaria Locale)	USL
No.	Number	(Numero)	No.
O/D	Overdraft [banking]	Scoperto di conto	
ono	Or nearest offer	O offerta più vicina	
o.r.	Owner's risk	(Rischio del mittente)	
oz	Ounce	(Oncia)	
pa	Per annum/per year	(Annuo)	
P & P	Postage and packing	(Affrancatura ed imballaggio)	
PLC	Public Limited Company	(Tipo di società per azioni)	
pm	Post meridiem – afternoon	(Pomeridiano)	
PM	Prime Minister	(Primo Ministro)	
pp	Pages	(Pagine)	pagg.
pp	Per pro- on behalf of	(Per conto di)	pp
PTO	Please turn over	(Voltare pagina, segue)	seg.
RAC	Royal Automobile Club	(Automobil Club Italiano)	ACI
Re	With reference to	(Con riferimento a)	Rif.
RSVP	Répondez s'il vous plaît – please reply	(Répondez s'il vous plaît / si prega rispondere)	RSVP
SAE	Stamped addressed envelope	(Busta affrancata con indirizzo)	
S/N	Shipping note	(Nota d'imbarco)	
SO	Standing order	(Ordine permanente)	
STDD	Subscriber trunk dialling	(Teleselezione)	
stg	Sterling	(Lira Sterlina)	L.st
TIR	Transport International Routier – international agreement allowing goods through frontiers without a customs examination	(Transport International Routier/Accordo internazionale che permette alle merci di non essere sottoposte a controllo doganale alle frontiere)	TIR
VAT	Value Added Tax	(Imposta sul valore aggiunto)	IVA
VCR	Video cassette recorder	(Videoregistratore)	VCR
VDU	Visual display unit	(Video)	
VIP	Very important person	(Persona molto importante)	VIP

Bilingual Handbook of Business Correspondence and Communication

English · Italian

CONTENTS

Introduction

SECTION A COMMERCIAL CORRESPONDENCE

Part 1 Organization of a letter

For obvious reasons there is no sub-section in this half of the Handbook which corresponds to:

2. La lettera commerciale americana (The American business letter).

Part 2 Expressions used in business correspondence

SECTION B BUSINESS COMMUNICATION

SECTION C BUSINESS AND CULTURAL BRIEFING ON ITALY

INTRODUCTION

This half of the book is divided into three sections:

SECTION A COMMERCIAL CORRESPONDENCE

Part 1 Organization of a letter

This part covers the presentation and style of modern business letters with explanations of the various parts of the Italian business letter, a description of the style used in commercial correspondence and guidelines on how to plan a letter. Examples are given where relevant.

Part 2 Expressions used in business correspondence

This sets out to provide a selection of phrases and sentences which have been taken from authentic letters. They have been chosen as useful in providing a framework of alternative expressions to be used as examples of modern business style and as a source of reference. The expressions are classified under various headings according to their subject matter.

SECTION B BUSINESS COMMUNICATION

This section describes the use of the telephone, telex, telegrams and tele-messages in Italy with examples of each type of communication.

SECTION C BUSINESS AND CULTURAL BRIEFING ON ITALY

This is intended as a source of information for the business person visiting Italy or for the secretary who has to organize a visit. It gives general information about the country as well as detailed descriptions of the transport system, hours of business, postal services and telecommunications. There is also a section on the customary behaviour of the Italians. Although it is unwise to make generalizations about the etiquette or behaviour of a whole nation, the points made in this book have been taken from remarks made by many visitors to Italy. It is hoped they will provide useful information to enable the visitor to recognize the accepted conventions.

At the end of this section is a list of sources of information thought to be useful for the business traveller in Italy.

Every effort has been taken to make sure the facts given are up to date and correct; however the business world is always changing and some of the information may have changed since publication.

Certain sub-sections of the book are followed by an asterisk (*), which indicates that those sub-sections do not correspond precisely to their counterparts in the other language owing to differences in culture or commercial practice.

SECTION A: COMMERCIAL CORRESPONDENCE

Part 1 Organization of a letter

1 Layout of an Italian business letter

□ 1.1 Letterhead

In business, letters have a printed letterhead at the top. This includes the name of the firm, its address and telephone number. Usually telex, fax and postbox numbers are also printed on the letterhead, while these days an address for telegrams is rarely given. Other relevant data can also be found in the letterhead, or at the bottom of the page or sometimes even at the top of the page on the right. The choice of presentation is wide, however, and depends on the individual choice of the firm. The most important data given are the firm's registration number at the local law-court (*Registro delle Imprese*), its registration number at the local chamber of commerce (*C.C.I.A.A., Camera di Commercio Industria Artigianato Agricoltura*), the *IVA* (*Imposta sul Valore Aggiunto*) number, which is the Italian tax on goods and services (see Section C1.5), and the amount of paid-up capital.

When a firm is formed by a group of people and backed by their invested capital, the type of grouping is indicated by an abbreviation following the name of the company. The firm's name together with its type of grouping is known as the *ragione sociale* of the firm.

S.r.l. (*Società a responsabilità limitata*) indicates that the company is liable only to the extent of the capital invested by the shareholders. This is the most common form of association among small businesses.

S.p.A. (*Società per Azioni*) is by far the most important kind of partnership, typical of medium-sized and large companies. Its members are liable only to the extent of the amounts invested in shares (*azioni*). The shares, under certain conditions, can be quoted on the Stock Exchange and so such firms have access to the share market.

S.a.s. (*Società in accomandita semplice*) indicates that the partnership is formed by several partners, some of them having limited liability (*soci accomandanti*) and others having unlimited liability (*soci accomandantari*). The latter, in case of insolvency, are obliged to forfeit their personal property which may be worth even more than the capital invested in the firm. The names of these partners always appear in the *ragione sociale* of the company.

S.n.c. (*Società in nome collettivo*) is a firm all of whose members have unlimited liability. The name of one or more of the partners must appear in the *ragione sociale*. This type of membership is rather rare.

S.a.p.A. (*Società in accomandita per Azioni*) is similar to S.p.A. in that it can issue shares but its partners may have either limited or unlimited liability. This kind of partnership is rare and is found only among large industrial enterprises.

& Co indicates that there are other partners who are not mentioned in the *ragione sociale*.

The name of the company is not followed by any abbreviation when the firm is run by a single individual.

Indirizzi other addresses may be given in the letterhead when the company has other branches.

Marchio (called more and more frequently – *logo*) is simply the symbol of the company.

□ 1.2 Parts of the letter

1.2.1 References

This is abbreviated: *Rif.* and is often already printed on the stationery. The information given under this refers to various points of reference chosen by the firm itself, or it may be the initials of the writer and/or the secretary. In the latter case the abbreviation *Rif.* is frequently omitted.

1.2.2 Date

This is written below any references. The name of the city always precedes the date and is, in fact, often already printed on the stationery. The date is written as follows: day, month and year: Roma, 1 dicembre 1999.
The abbreviation 1.12.99 is very common but its use should be reserved for informal letters.

1.2.3 Inside name and address (receiver's name and address)

1. Inside addresses rarely include the receiver's name even when it is known. The most common inside address is: Spett.le + ragione sociale of the company: Spett.le Rossi S.p.A. *Spett.le* is the abbreviation for *Spettabile*. The entire word is rarely used.
2. Alternative solutions might be:
   a) In most cases, only the name of the office of the receiver after the complete address and *Alla cortese attenzione di* would be followed by the receiver's name or job title if the person's name is unknown:
   Spett.le Rossi S.p.A.
   Ufficio Contabilità
   Alla cortese attenzione del Sig. Bianchi *or* Alla cortese attenzione dell' Amministratore Delegato.

b) In the case of reserved letters or when it is thought that the material can be dealt with by one specific person, the name of the receiver and his job title would be written before the name of the firm:

Dr. Paolo Rossi,
Direttore Tecnico
Branca & C. S.r.l.

Address: Via/Viale/Piazza + number — Viale Garibaldi, 246
Postal code + city — 20124 Milano

When the city is not the capital of the province, the abbreviation for the province, written in brackets, follows the name of the town:

Piazza Manzoni, 13
47037 Rimini (FO)

1.2.4 Titles

When the receiver has no professional title, the following are used (for when you do not know the person's name see Section 1.2.3):

Signor – a man, generally abbreviated to Sig. – Sig. Carlo Rossi

Signorina – an unmarried woman. The term is used less and less frequently and is being replaced by *Signora*. It is abbreviated to *Sig.na:* Sig.na Lia Verdi

Signora – a woman, regardless of married status. The abbreviation Sig.ra is rare: Signora Anna Bianchi

Signor is usually preceded by the word *Egregio,* and the word *Signora* by *Gentile*.

Professional titles: These are widely used and precede the name: Dottore (Dott., and sometimes Dr.), Ingegnere (Ing.), Avvocato (Avv.), Ragioniere (Rag.), Professore (Prof.), etc. The title of doctor is given to anyone who has a university degree. In addresses these titles are written in abbreviated form and are often preceded by the word *Egregio*.

Titles of nobility: These are rare and their use is considered antiquated and, in certain circles, even ridiculous. They precede the name.

Honours conferred by the state: Cavaliere (Cav.), Cavaliere Ufficiale (Cav. Uff.), Commendatore (Comm.). These all precede the name. They were much more common in the past, but today they are seldom used even by people entitled to use them.

1.2.5 Salutations

Spettabile Ditta	for a company
Egregio + job title	for a person whose job title is known
Egregio Signore *Gentile Signora*	for a person whose name and title are unknown
Egregio Signor Rossi *Gentile Signora* Rossi	for a person whose name is known, but whose title is not

Egregio + job title is always used in the masculine form even when addressed to a woman. The exceptions are *Gentile Dottoressa* and *Gentile Professoressa*. The title, in the salutation, is not followed by the name, even when it is known.

Egregio and *Gentile* can be replaced by *Caro/a* when the tone of the letter is not formal.

1.2.6 Complimentary close

Regardless of the opening of the letter, it is closed by one of the following phrases:

Cordiali saluti
I miei/nostri più cordiali saluti
Distinti saluti
Other forms of closing a letter, such as *Ossequi,* are used less and less.

1.2.7 Signature

The name of the sender will be preceded by the name of the company and will be typed under the signature, without any title. Name and surname should preferably be written in full. An initial in a signature must always be followed by a full stop.

The job position of the sender is written beneath the name:

Branca S.p.A.
Paolo Bianchi
Paolo Bianchi
Direttore del Personale

Sometimes *p.* (for, representing) is used to show that the person is legally authorized to sign the letter in the name of the firm or of someone else. In this case, the stamp of the firm may also appear.

Cordiali saluti
p. Bianchi S.p.A.
Giorgio Fossi
Giorgio Fossi
Direttore Tecnico

Cordiali saluti
Bianchi S.p.A.
Antonella Fini
p. Giorgio Fossi
Amministratore Delegato

In general, the typed name must be the faithful reproduction of the signature. When the first name is represented by an initial, it is still advisable to type the name in full.

In reply to a letter the typed signature cannot always serve as a guide for the salutation, since it is considered more correct to omit one's professional title (Dott., Ing., Avv., etc.) unless it is of importance to the content of the letter itself.

Because women very rarely use initials for their first names, one can assume that an abbreviated name is that of a man.

1.2.8 Other features

Riservata e personale: This is typed above the name and address of the receiver and also appears on the envelope. It may also be found under the address, written in block capitals and underlined. *Strettamente personale, Strettamente personale e riservata* are similar expressions.

p.c. or *c.* (*Per conoscenza* and *copia*): are used to let the receiver know to whom another copy of the letter is sent. These expressions usually appear under the address of the first person named as receiver, and precede the full address of the second.

Allegato/i: This indicates that one or more documents are enclosed in the envelope. Generally, the type of document/s is specified. When there is more than one document, the number is given. It can be abbreviated to *All.*

All' attenzione di or, more formally *Alla cortese attenzione di.* This is typed under the address of the receiver to draw the attention of the person to whom the letter is to be delivered. It almost always appears in a letter addressed to a company (See 1.2.3).

Oggetto: This expression, which means subject matter, is very common. It is written in normal characters and placed under the receiver's address. When the word *oggetto* is part of the printed letterhead, as it frequently is, the salutation and the complimentary close are often omitted. For example:

> Oggetto: Ordine No 54 del 2 febbraio 1989
> Vi comunichiamo che l'ordine in oggetto sarà evaso la prossima settimana.
> Ideain S.p.A.

1.2.9 Layout and punctuation

Punctuation is not used in addresses. Abbreviations are followed by a full stop.

Today, the fully blocked style has almost completely replaced the more traditional indented style. However, there is also a form of layout which is a combination of the two. The most common example of this type is the letter which is fully blocked except for the date.

Fully blocked style: Combination style:

1.2.10 Capital letters

A lower case letter is used to begin the first word of the letter, following the salutation: Egregio Dottore,
sono lieto di informarLa che . . .

1. Capital letters must be used for every title, if the person's name follows: Presidente Cossiga, Don Rossi, Dottor Bianchi.
2. Capital letters are also used even when the person is being referred to: Il Primo Ministro visiterà la Francia il prossimo mese.
3. Capital letters are not used in titles when the reference is general: Si elegge un primo ministro ogni cinque anni.
4. Capital letters are used for positions of importance in a firm: Sarei grato se voleste chiedere al vostro Ingegnere Capo di ispezionare il macchinario. It is always polite to use capital letters when you write to another firm: In seguito al nostro incontro con il Vostro Direttore alla Produzione . . .
   In general, lower case letters are used for positions: Il numero dei venditori potrebbe essere ridotto con un più efficiente uso del telefono.
5. Capital letters, always followed by a full stop, are used for initials and abbreviations: Sig. A. Rossi.
6. In the letterhead, in notices and in book titles, a capital letter is used only for the first word. Some classic texts are an exception: *La Divina Commedia*. Current usage sometimes follows the traditional English form.
7. Capital letters are used for people's names, places and firms.

Days of the week and the months are written in lower case in the middle of a sentence. For dates in letters the choice is a matter of personal taste. In modern, informal letters the date is written in lower case, while capital letters are found in more formal, traditional letters:

Giacomo Torri ha saputo lunedì che ha avuto un posto alla Pirelli S.p.A. in Lombardia; cercava lavoro da primavera. Partirà alla fine di luglio.
Capital letters are used with the personal pronouns *Lei* and *Voi* and their possessives in the polite form even when they occur in the middle of a word:
Siamo lieti di comunicarVi che abbiamo ricevuto la Vostra rimessa a saldo . . .
This usage is formal and is becoming less common.

Letterhead	ALFA S.r.L. Via Lamarmora, 38 50120 FIRENZE
Reference	Rif: GC/al
Date with city (date without th – 19th)	Firenze, 19 luglio 1989
Inside address	Spett. Ditta Rossitex S.p.A. Via Tagliamento, 12 55100 LUCCA
Salutation	Spett. Ditta,
Body of the letter	Vi ringraziamo per la Vostra lettera del 10 luglio, con la quale chiedete informazioni sui nostri prodotti. Alleghiamo il nostro più recente catalogo e listino prezzi. Come potete vedere nelle note illustrative forniamo anche un' adeguata assistenza per l'uso dei nostri programmi. Saremmo grati se ci contattaste per ogni ulteriore informazione.
Complimentary close	Cordiali saluti, Alfa S.r.L.
Signature	Giulio Conte Giulio Conte Direttore alle vendite
Enclosures	All. Catalogo Listino Prezzi

1.2.11 Sample letters

The fully blocked letter on page 128 is a reply to an enquiry and shows:
Fully blocked style, ie every line on the left with no indentation.
Open punctuation in address and commas after salutation and complimentary close.

This semi-indented letter shows:
Semi-indented layout, ie blocked inside name and address, date on the right and each paragraph indented. Notice that the address has open punctuation, as usual.

The use of the pronoun *tu* which indicates friendship and makes the letter less formal.

Reference —— Rif: AD/rl   Milano, 10 Marzo 19—

Professional title —— Ing. Ugo Lay

Punctuation as in fully blocked ——
Farsport S.r.L
Piazza Duomo, 15
06100 PERUGIA

With tu, caro/a —— Caro Ugo,

Grazie, prima di tutto, per la magnifica serata a teatro. L'opera è stata splendida e la regia indimenticabile.

Per passare agli affari, abbiamo discusso ieri sera dei nostri Programmi di Formazione Professionale e ti ho promesso di inviarti informazioni dettagliate. Allego a questa lettera il programma completo dei nostri corsi.

Spero che ti siano utili e mi auguro di vederti quanto prima.

Tanti cari saluti a te e Giovanna,

Only the first name in the signature —— Alberto.

Alberto Denti
Coordinatore Corsi Professionali

Allegato. Programma Corsi 19—

□ 1.3 Addressing the envelope

The name and address are set out in the same way as inside the letter:
Spett.le Artiflex S.r.l.
Ufficio Contabilità
Via Machiavelli, 7
16035 RAPALLO (GE) – or – 16035 Rapallo (GE)
Italia ITALIA

When the city is not the capital of a province, the name of the capital city follows, in brackets, the place name either in full or in abbreviated form:

16035 RAPALLO (GENOVA) – or – 16035 RAPALLO (GE)

For obvious reasons there is no sub-section in this half of the Handbook which corresponds to:

2. La lettera commerciale americana (The American business letter).

3 The style of an Italian business letter

□ 3.1 Abbreviations

Use only abbreviations which are known to your reader: USSR, UK, USA, Lit. 1,000, etc. Certain abbreviations are never written in full: NB, PS, Rif. (see also Section B 2.3).

□ 3.2 Ambiguity

3.2.1 Sentence length

Avoid sentences which are too long:

Nonostante le frasi italiane siano frequentemente lunghe e la loro struttura sintattica alquanto complessa, è comunque sconsigliabile, se non si ha una ottima padronanza della lingua, scrivere periodi lunghi, poichè questi facilmente diventano confusi o sintatticamente errati.

This sentence, though clear and correct in Italian, could present unnecessary difficulty for a foreigner. The same idea can be conveyed in shorter, more numerous sentences:

Le frasi italiane sono spesso lunghe e sintatticamente complesse. Preferite comunque frasi brevi se non conoscete molto bene la lingua. Sarà più facile così scrivere periodi corretti e chiari.

3.2.2 Punctuation

Mentre telefonavo in ditta è arrivata la merce.
This sentence could mean:
a) While I was telephoning, the goods arrived at the firm.
b) While I was telephoning the firm, the goods arrived.
To avoid ambiguity, in example a) a comma should be inserted after *telefonavo* and in example b) after *ditta*.

3.2.3 Word order

Abbiamo ricevuto l'estratto conto scaduto in marzo.
This sentence could mean:
a) The statement was received in March. *We received the overdue statement in March.*
b) The statement should have been sent in March. *We received the overdue March statement.*

3.2.4 Pronouns

Of all the various pronouns used in Italian, the one which can be used most ambiguously is the relative pronoun *che*.
Ho visto la macchina di Giovanni che mi piace tanto.
This sentence could mean:
a) I like Giovanni. b) I like the car.

3.2.5 Abbreviated messages

Writers may know what is in their minds, but the reader knows only what the words on the paper say:
Merci spedite 21 febbraio danneggiate
Does this sentence mean that the goods arrived damaged or that they were damaged after arrival?

□ 3.3 Commercialese

Modern business Italian has retained only technical business terms and has practically abandoned the old-fashioned expressions typical of that field.
Examples:

Do Not Use	**Use**
allegato alla presente	*allegato*
al piacere di una Vostra sollecita risposta	*attendiamo una vostra risposta quanto prima*
accusiamo ricevuta di	*abbiamo ricevuto*
vogliate trovare allegato/a	*alleghiamo*
abbiamo ricevuto il Vostro pregiato . . .	*abbiamo ricevuto il vostro . . .*
siamo lieti di informarVi che abbiamo ricevuto il Vostro assegno	*Vi ringraziamo per il vostro assegno*

□ 3.4 Spelling

Spelling mistakes in a business letter tend to make the reader think that the company is inefficient. Unless you have a spelling checker in your word processing program, your knowledge of spelling is the only way to make sure your letter is acceptable. Pay close attention to those words which contain sounds which do not necessarily correspond to their spelling. The most common errors occur in the following:

a) Different spellings with similar sounds: scuola, aliquota, acqua; scienza, conoscenza; giudice, superficie

b) Accents on monosyllables:

dà (verb)	da (preposition)
è (verb)	e (conjunction)
sì (affermation)	si (pronoun)
sè (pronoun)	se (conjunction) but also in se stesso

c) omitting the *h* in the present tense of the verb avere: ho, hai, ha, hanno

□ 3.5 Tone

3.5.1 Slang

Don't use words which are only used in spoken colloquial Italian (see Section A 3.6.2).

Compare: Siamo sicuri di aver controllato tutto quanto e andava tutto bene.
Siamo certi di aver controllato ogni cosa e tutti gli articoli erano conformi.

3.5.2 Tact

Use the passive:
Not: Avete dimenticato gli allegati
But: *Gli allegati non erano inclusi.*

Use the third person:
Not: Mi dispiace di non poter autorizzare questo pagamento
But: *La ditta non può autorizzare questo pagamento.*

Don't accuse:
Not: Non avete pagato
But: *Non abbiamo ricevuto il vostro assegno.*

Don't be too brusque:
Not: Avete fatto un errore
But: *Ci sembra che sia stato commesso un errore.*

Don't be abrupt:

Not: Non possiamo accettare il vostro ordine	But: *Siamo spiacenti di non poter accettare, per il momento, il Vostro ordine.*

Be positive:

Not: Siamo spiacenti di informarvi che i prezzi sono aumentati del 5% a causa del crescere dei costi di produzione.	But: *Siamo lieti di informarvi che nonostante il crescere dei costi di produzione, l'aumento dei prezzi è stato contenuto nei limiti del 5%.*

□ 3.6 Formality

3.6.1 Formal and informal terminology

Bureaucratic terms should be avoided as much as antiquated commercial jargon.

The words in the first column are more formal than those in the second column:

Formal	**Informal**
atto	adatto
accondiscendere	acconsentire, accettare
conseguentemente	quindi
conseguire	ottenere
corrispondere	pagare
erroneo	sbagliato
inoltrare	spedire, inviare
istanza	domanda
la Vostra	la Vostra lettera
mediante	per mezzo di
necessitare	aver bisogno di
pregiarsi	essere lieti di
qualora	se
rimettere	inviare
riscontro	risposta
sottoscrivere	firmare
vagliare	valutare, esaminare

Although the words in the first column are still common in business correspondence, their use could create the following impressions:

a) the message is detached and less cordial (can sound unfriendly)
b) the message is more official (can sound officious)
c) the message comes from a well-educated person (can sound pompous)

For example compare:

In conseguenza del mancato pagamento relativo al sopradetto estratto conto e del fatto che abbiate mancato di avvalerVi delle facilitazioni concesse nella nostra sollecitazione di pagamento, a Voi inoltrata in data 16 maggio, siamo costretti a mettere la pratica nelle mani di . . . *and*

Non abbiamo ancora ricevuto il pagamento relativo al suddetto estratto conto. Vi avevamo inviato un sollecito il 16 maggio, con i dettagli utili per la dilazione del pagamento. Poichè non abbiamo ricevuto alcuna risposta passiamo la pratica a . . .

3.6.2 Style

The use of the impersonal pronoun *si* sounds very formal:

Formal: Si dovrebbe verificare se si è assicurati contro il furto.
Informal: Dovreste verificare se siete assicurati contro il furto.

Noi is the subject most commonly used in business correspondence. The use of *io* is rare and implies that the sender is the only person responsible for what is written. Even when *io* is used in the course of a letter, the opening sentences almost always have *noi* as their subject. For example:

Abbiamo considerato attentamente il rapporto e riteniamo che una nostra decisione sia prematura. Vorrei far in modo che potessimo discuterne ulteriormente e chiarire alcuni dettagli.

The choice between the forms *Voi* and *Lei* follows similar criteria. Normally, *Voi* is more often used since *Lei* implies a desire to personalize the relationship and to involve the receiver in responsibility for whatever happens.

The form *tu* is strictly confidential and is used exclusively in personal correspondence.

Using passives and the impersonal pronoun *si* make sentences formal:

Formal: La pratica sarà trattata immediatamente.
Si tratterà immediatamente la pratica.
Informal: Tratteremo la pratica immediatamente.

Compare the following letters.

To a colleague who you have done business with many times:

Caro Giovanni,
sono stato felice di vederti la settimana scorsa e di visitare la tua bella città. Grazie mille per il magnifico pranzo!
Mi sono informato sui libri di cui abbiamo parlato e usciranno nel 19 . . . Te ne manderò 20 copie per ogni titolo della serie appena sono pubblicati.
Puoi darmi un colpo di telefono tra qualche giorno prima della fine del mese per parlare del nuovo catalogo?
Grazie di nuovo per esserti preso cura di me.
Affettuosamente,

To an older, senior person who the writer has met once:

Egregio Sig. Rossi,
è stato un vero piacere vederla la settimana scorsa e visitare la sua bella città. Vorrei anche cogliere l'occasione per ringraziarla dell'ottimo pranzo.
Riferendomi alla nostra discussione, le possiamo ora confermare che i titoli di cui ha parlato saranno disponibili nel 19.. Le spediremo venti copie per ogni titolo della serie appena saranno pubblicati.
Attendiamo di poter discutere del vostro prossimo catalogo nei prossimi giorni.
La ringrazio nuovamente per la sua gentile ospitalità.
Cordialmente,

A letter is made less formal by signing one's first name and omitting one's position in the firm.

Caro Giovanni,
alleghiamo l'ultimo rapporto dei nostri reparti R e D sulla possiblità di introdurre il nuovo componente.
Attendiamo una tua risposta.
Cordiali saluti

4 Planning the letter

□ 4.1 Subject heading

(See *oggetto*, Section A 1.2.8)

□ 4.2 First paragraph

Refer to previous correspondence:

Vi ringraziamo per la vostra richiesta del (data).
A seguito della vostra comunicazione telefonica di questa mattina, sono in grado di confermare . . .
If there has been no previous correspondence:
either *a)* introduce yourself:
Siamo una ditta di (type of company) e siamo interessati ad acquistare (product).
Abbiamo l'intenzione di iniziare (describe enterprise) in un'ottima posizione a (location).
Siamo i principali fornitori in Italia di . . .

or b) state the purpose of your letter:
Vi scrivo a proposito . . .
Alleghiamo il nostro ordine per . . .
Siamo interessati all'acquisto di . . .

□ 4.3 Middle paragraph

This will give details of the purpose of writing:
Alleghiamo alcuni inserti che mostrano in dettaglio l'intera gamma dei nostri prodotti con il listino prezzi aggiornato.
La prenotazione era per una camera singola con bagno dal 19 al 22 settembre compreso.
Vi preghiamo di farci sapere se questa ditta ha avuto difficoltà nei pagamenti in passato, oppure se è od è stata soggetta a protesti.

□ 4.4 Final paragraph

If the letter is a reply, thank them again.
Vi ringraziamo di nuovo per il/la vostro/a ordine.
richiesta.
interesse.
collaborazione.
If the letter is an apology, repeat the apology:
Vogliate scusarci di nuovo per il ritardo con cui vi abbiamo mandato queste informazioni.
Accettate di nuovo le nostre scuse per aver ritardato così a lungo nel regolare il nostro conto.
If you want something done, say so:
Attendiamo la vostra quotazione quanto prima.
Vogliate confermarci la prenotazione per telex.
Encourage a reply:
Attendiamo una vostra lettera quanto prima.
Spero che le informazioni allegate rispondano a tutti i vostri quesiti, non esitate comunque a contattarci di nuovo se avete bisogno di qualche chiarimento.
Speriamo che le nostre condizioni siano di vostro gradimento e attendiamo una vostra richiesta quanto prima.

Part 2 Expressions used in business correspondence

5 Enquiries

□ 5.1 First enquiry

5.1.1 Opening sentence

Stiamo esaminando la possibilità di comprare . . .
acquistare . . .
installare . . .
Chiediamo per consegna immediata . . .
Siamo (describe the company) e cerchiamo un fornitore di . . .
Vogliate inviarci dettagli circa . . . che abbiamo visto nella vostra pubblicità su . . .
Siamo (describe the company) e siamo interessati ad acquistare/a comprare . . .
Vi preghiamo di inviarci il vostro catalogo e il listino prezzi aggiornato.

5.1.2 Mentioning contacts

Abbiamo avuto il vostro nome da . . .
Ci siete stati raccomandati da . . .
I nostri soci . . . ci hanno parlato molto bene dei vostri prodotti.
servizi.
La vostra ditta ci è stata raccomandata da . . .
Abbiamo saputo da . . . che potete fornire . . .
Abbiamo visitato il vostro stand alla Fiera.
Mostra.
Abbiamo visto il vostro annuncio su . . .
Saremo lieti di ricevere informazioni dettagliate di . . . che abbiamo visto nella vostra pubblicità su . . .

5.1.3 Asking about conditions

Vogliate farci sapere i vostri prezzi per . . .
se potete fornire . . .
inviarci la quotazione per . . .
Per piacere inviateci ulteriori dettagli su . . .
il vostro listino aggiornato.
il vostro catalogo per l'estero.
informazioni particolareggiate sulle quantità merci che potete fornire da magazzino.
potete consegnare immediatamente.
potete spedire immediatamente.

Fateci sapere quali sconti applicate per pagamenti in contanti e per grossi quantitativi.
Gradiremmo conoscere i vostri prezzi per quantitativi considerevoli.
Vogliate farci avere le vostre quotazioni e i vostri termini di pagamento.
Consegne pronte sono per noi essenziali e vorremmo essere rassicurati che siete in grado di mantenere tutte le date di consegna stabilite.
Vi saremmo grati di farci pervenire ogni eventuale ulteriore informazione circa . . .
Potete chiedere informazioni su di noi a / Per informazioni sul nostro conto potete rivolgervi a . . .

5.1.4 Closing the letter

Attendiamo una vostra sollecita risposta poichè vorremmo prendere una decisione quanto prima.
Poichè abbiamo intenzione di prendere presto una decisione, vi saremmo grati per una vostra veloce risposta.
Se i vostri prezzi saranno migliori della concorrenza, potremo passarvi ordini considerevoli e ripetuti.

□ 5.2 Replies to enquiries

Vi ringraziamo per la vostra richiesta del 9 luglio 19—, nella quale chiedete informazioni circa . . .
Vi ringraziamo per la vostra richiesta del 9 luglio circa . . . Alleghiamo una copia del nostro ultimo catalogo.
listino prezzi.
campioni dei vari tipi
articoli
insieme con il nostro listino prezzi.
In riferimento alla vostra richiesta telefonica di oggi, possiamo offririvi i seguenti . . . ai prezzi stabiliti.

5.2.1* Positive Answer

Abbiamo il piacere di sottoporvi la seguente quotazione.
I nostri termini di pagamento sono netti, 28 giorni dalla data di fattura.
Disponiamo di merce pronta a magazzino e quindi possiamo accettare le vostre date di consegna.
Possiamo offrire una vasta gamma di . . . a prezzi interessanti.
Possiamo fornirvi quotazioni ottime per . . .
Siamo in grado di consegnare grandi quantitativi delle nostre merci senza ritardi.
Per ordini di . . . o maggiori possiamo rivedere i nostri prezzi di listino.
Possiamo consegnare le quantità da voi richieste dal pronto . . . giorni dal ricevimento dell'ordine.

I nostri termini di pagamento sono tratta a ricevuta della fattura pro-forma
tratta a . . . giorni
lettera di credito a vista/ a . . . giorni
. . .% a 30 giorni

Le nostre quotazioni non includono diritti o tasse dognali.

I prezzi di listino son intesi FOB (port) e per quantitativi inferiori a . . ., pagamento per lettera di credito a vista/a . . . giorni.

Vogliate prendere nota che questi prezzi sonon fermi fino a (date). Per gli ordini che riceveremo dopo questa data le quotazioni possono essere soggette a variazioni.

5.2.2* Persuading

Quando avrete visto i nostri prodotti, siamo sicuri che apprezzerete il loro prezzo come il migliore per questa qualità sul mercato.

Non sarete delusi dal nostro prodotto e, poichè ne siamo certi, offriamo una garanzia di tre anni.

Il prezzo speciale che vi offriamo é valido solo per ordini passati entro (date).

Siamo certi che approfitterete di questa offerta speciale.

5.2.3 Negative answer

Siamo dispiaciuti di non potere fornire più questo prodotto e vi suggeriamo di rivolgervi a . . . (give the name of another company).

A causa della scarsa richiesta, non produciamo più . . . al quale siete interessato; possiamo però fornirvi un tipo simile di cui vi alleghiamo ogni dettaglio.

Il prodotto che ci avete richiesto è di nostra fabbricazione, ma può esservi fornito solo dal nostro distributore. Abbiate la cortesia di contattare . . . (give name and address of the distributor) che sarà lieto di eseguire la vostra richiesta.

5.2.4 Closing the letter

Se avete necessità di ulteriori informazioni, non esitate a contattarci. Nel frattempo attendiamo vostre comunicazioni.

Con la speranza di ricevere il vostro gradito ordine per (goods) di cui sopra, attendiamo vostre gradite notizie.

Speriamo di avere la vostra risposta fra poco e vi assicuriamo una pronta esecuzione del vostro ordine.

Come noterete, i nostri prezzi sono fortemente competitivi, ma, poichè subiranno probabili aumenti nei prossimi tre mesi, vi consigliamo di passare il vostro ordine prima possible.

Vi suggeriamo di fare il vostro ordine prima possibile poichè le nostre scorte sono limitate.

□ 5.3 Sample correspondence

Often short enquiries are telexed, faxed or made by telephone. The following are examples of letters which can be used as models:

Spettabile Ditta,
abbiamo visitato il vostro stand all'Interstoffe. Abbiamo preso il vostro listino prezzi e la cartella colori generale.
Gradiremmo sapere se per pagamenti in contanti possiamo godere di uno sconto del 5%.
Il nostro addetto agli acquisti, Sig. Franchi, vi contatterà prima della fine del mese per definire i termini di pagamento.
Cordialmente,

Egregio Signor Tarner,
dal nostro comune amico Sig Alan Walters abbiamo saputo che siete interessati a vendere le vostre macchine su questo mercato.
Fateci avere il vostro listino prezzi e le caratteristiche tecniche dei vostri macchinari.
I prezzi dovrebbero essere calcolati per pagamenti D/A a 30 giorni e includere una commissione del 7% a nostro favore.
Cordiali saluti,

Letter giving a quotation in reply to an enquiry:

Spett. Ditta
Vi ringraziamo per le Vostre richieste e siamo lieti di fornirVi le seguenti quotazioni:

Codice	Descrizione	Prezzo
402111	Indicatore velocità	198.000
164060	Coperchio	2.450
028301	Bobina	43.000
402840	Interruttore	8.100

Alleghiamo libretto di istruzioni e caratteristiche tecniche. I prezzi si intendono validi per tutto l'anno in corso.
Attendiamo un vostro gradito ordine.
Distinti saluti,

Negative reply to an enquiry:

Spett. Ditta
Franceschi S.a.s.
Viale Europa 15

p.c. Falco S.n.c.
Distributori Ricambi Originali Off. Salvi S.p.A.
Via Tacca 15
10110 Torino

Egregio Ing. Pozzi,
La ringraziamo per la sua lettera del 15 Aprile, con cui ci chiedete una fornitura di 16 Dadi M 4 (Cod. 4026155) e di un Nastro Completo (Cod. 4025140). Ci scusiamo per il ritardo con cui rispondiamo alla vostra richiesta.
Siamo distributori in esclusiva degli accessori e ricambi originali Off. Salvi S.p.A., ma siamo spiacenti di comunicarvi che in questo momento non abbiamo gli articoli da voi richiesti disponibili a magazzino.
Abbiamo passato la vostra richiesta ai nostri colleghi di Torino che vi contatteranno direttamente. Ci auguriamo che possano evadere il vostro ordine. Temiano comunque che la loro disponibilità di magazzino sia simile alla nostra.
I nostri più cordiali saluti,

Paolo Conti
Direttore commerciale

6 Orders

Orders are usually made by telephone, telex, fax or on the company's official order form. The supplier should always send a confirmation form, which the buyer must return signed, for acceptance.

□ 6.1 Covering letters

6.1.1 Opening sentences

Vi ringraziamo per la vostra quotazione del (date). I prezzi e termini di pagamento sono di nostro gradimento e pertanto vi alleghiamo il nostro ordine numero/No . . .

Alleghiamo il nostro modulo di conferma d'ordine per (description, amount, terms of payment) per consegna entro . . .

6.1.2 Giving delivery details

La spedizione deve essere effettuata per via aerea.
Vogliate effettuare la spedizione per ferrovia
Vogliate spedire con cargo di linea
su strada
Vogliate assicurarvi che le istruzioni di imballaggio allegate siano seguite scrupolosamente.
Le merci devono essere imballate
avvolte secondo le nostre istruzioni
imballate in gabbie
marcate
La consegna deve avvenire tassativamente prima di novembre per avere il tempo di distribuire la merce ai nostri punti vendita entro Natale.

6.1.3* Confirming terms of payment

Poichè questo è il nostro primo ordine con voi, effettueremo il pagamento in contanti contro documenti, come da nostri accordi.
Pagheremo in contanti per godere dello sconto.
Vogliate emettere tratta a . . . giorni per il totale fatturato e le spese.
Confermiamo che il pagamento sarà fatto per Lettera di Credito.
Quando avrete passato l'ordine, vi inoltreremo la tratta per accettazione.
I pagamenti saranno effettuati trimestralmente come d'accordo.
Preferiamo pagare in lire italiane, sconto 4%.

6.1.4 Closing the letter

In attesa del/della vostro/a spedizione.
avviso di spedizione.
notifica di . . .
conferma di . . .
Con la speranza di proseguire le nostre trattative in futuro.
Siamo certi che questo è il primo di molti futuri vantaggiosi affari.

□ 6.2 Confirming an order

6.2.1 Acknowledging

Vi ringraziamo per il vostro ordine No . . ., per il quale alleghiamo la nostra conferma.
Vi ringraziamo per la vostra lettera del . . . e per l'ordine allegato.

6.2.2 Informing the customer of what is being done

Abbiamo preso nota con attenzione delle vostre intenzioni e contiamo di avere la merce pronta per la consegna il . . .

La consegna sarà fatta il
il prossimo (date).
per mezzo di
il prima possibile.
entro le prossime tre settimane.

Abbiamo già preparato il vostro ordine e stiamo prendendo accordi per una spedizione immediata.

Le merci sono state inviate oggi per via aerea
per ferrovia
saranno spedite domani per mare

Il vostro ordine è in allestimento e dovrebbe essere pronto per la consegna entro la prossima settimana.

L'allestimento del vostro ordine sarà ritardato di tre mesi per la mancanza di alcuni pezzi.

Come da voi richiesto, abbiamo assicurato la merce e allegheremo la polizza alla air waybill. (The Italian phrase polizza di vettura aerea is not generally used.)

6.2.3 Telling the customer the goods have been sent

The supplier may advise his client that the goods have been despatched, giving details of the shipment:

Il vostro ordine No . . . è stato caricato a bordo del SS (name of ship) che parte da (port) il (date), il cui arrivo è previsto a (port) il (date). Allegiamo nota di consegna, copie di fattura . . .

Non esitate a contattarci immediatamente, dovessero sorgere dei problemi.

6.2.4 Telling the supplier that goods have not arrived

Le merci, che abbiamo ordinato il (date), non sono ancora arrivate.

Come vi abbiamo già avvisato per telex, non abbiamo ancora ricevuto l'ordine No . . ., che ci risulta spedito il (date).

Il nostro ordine No . . . avrebbe dovuto essere consegnato il (date) ed è quindi in notevole ritardo.

6.2.5 Keeping the customer informed of delays

Siamo spiacenti di comunicarvi che le merci vi giungeranno con due settimane di ritardo. Questo ritardo era del tutto imprevedibile ed è dovuto ad uno sciopero alla nostra Dogana.

Ci è spiaciuto di apprendere che il vostro ordine non era ancora arrivato. Abbiamo indagato e abbiamo scoperto . . .

6.2.6 Cancelling an order

In data . . . abbiamo ordinato (goods) per consegna alla fine del mese. Vediamo ora che le nostre scorte sono sufficienti ai nostri bisogni per il prossimo mese e vorremmo rimandare la consegna a data da definirsi. Data la nostra lunga conoscenza, confidiamo che possiate accettare la nostra richiesta.

Con riferimento al nostro ordine No . . ., ricorderete come avessimo sottolineato l'importanza della puntualità di consegna, da effettuare il (date). Poichè non abbiamo ancora ricevuto la merce e vi abbiamo già scritto due volte su questo argomento, non abbiamo altra soluzione che annullare l'ordine. Ne siamo spiacenti ma, poichè avremmo dovuto, a nostra volta, consegnare le merci domani, non abbiamo più la possibilità di farle giungere ai nostri clienti.

Se non avete ancora allestito il nostro ordine No . . . vi preghiamo di sospenderlo fino a nostra futura comunicazione.

Vi preghiamo di annullare l'ordine No . . ., che vi abbiamo passato per errore.

Poichè non siamo rimasti soddisfatti della vostra ultima consegna di (goods), come vi abbiamo a suo tempo comunicato, vogliate annullare il previsto ripetimento del nostro ordine No . . .

□ 6.3 Sample correspondence

Acknowledgement of an order:

Ns. Rif. 140/BT 216
Vs. Rif. AZ/201

Roma, 18 Maggio 19-

Varasio, S.p.A.
Viale della Repubblica 246
20124 MILANO

Oggetto: Vs. Ordine No. BT 216

Spettabile Ditta,

Vi ringraziamo per il vostro ordine BT 216, in corso di allestimento. Tutti gli articoli da voi richiesti sono disponibili a magazzino e possono essere consegnati entro la prossima settimana.
Vi daremo ogni dettaglio sulla consegna prima possibile.

Cordiali saluti,
Romacarta S.r.l.

Mauro Pandolfini

Covering letter when sending an order:

Oggetto: Manuale Internazionale

Gentile Signor Franchi,

siamo lieti di inviarle una copia del manuale in oggetto. Ci scusiamo per il ritardo con cui abbiamo eseguito la sua richiesta, ma, come già spiegato in una nostra precedente lettera, le nostre copie iniziali erano andate esaurite.
Con l'aiuto del Manuale potete comunicare con macchinario compatibile in 60 paesi.
Ci scusiamo nuovamente per il ritardo.
Per ogni ulteriore informazione, non esitate a contattarci al numero di cui sopra o a lasciare un messaggio sulla nostra segreteria telefonica.

Cordialmente,

7 Transport

□ 7.1 Delivery terms

Because of different interpretations of transport costs and risks, the International Chamber of Commerce (Paris), has developed a system of terms, called *Incoterms*, which are more and more accepted by the international trading community. A full list is available from the International Chamber of Commerce (see Section C 5.2 for the address). The most common are:

Franco Fabbrica (EXW) The price for the goods at the factory gate, specifying whether the cost of packing is included. The buyer must pay for the delivery of the goods.

Franco Vettore (FRC) The price quoted covers all costs to a named point of loading on to a container.

FOB This term is always indicated by its English initials. The price includes all transport costs of the goods loaded on to a ship. The risks of loss and damage are transferred from the seller to the buyer when the goods pass the ship's rail.

CIF This term too is always indicated by its English initials. The price is all the costs of the goods loaded on a ship plus freight and insurance to an agreed point of delivery in the buyer's country, but the buyer bears all risks once the goods have passed the ship's rail in the exporter's country.

C&F The same as CIF, but the insurance is paid for by the buyer.

Reso Frontiera (DAF) Risks and transport costs (including unloading at the frontier, if necessary) are paid by the seller.

Nolo/Porto pagato (DCP) The price includes all transport costs, excluding insurance, to an agreed point of delivery in the buyer's country. The risks are the responsibility of the seller from the factory to the first carrier.

Nolo/Porto e Assicurazione pagati (CIP) As for *DCP* but insurance is paid for by the seller.

Reso sdoganato (DDP) Risks and transport costs are paid for by the seller to a named destination, including customs duties and unloading if necessary.

□ 7.2 Transport documents

Most goods are transported by lorry, often in containers. Rail transport is much less common. Air and sea transport are used for countries outside Europe. Sea transport generally involves containers. For goods transported by road within the EEC, special transport certificates, such as the *T2*, simplify customs procedure.

Lettera di Vettura Ferroviaria is the document accompanying goods transported by rail.

The *Bill of Lading* is the documents for goods travelling by sea. The Italian translation *Polizza di Carico Marittimo* is not used.

The *Air Waybill* is the document used in air transport. Again the Italian translation *Polizza di carico aereo* is not used.

The *Negotiable FIATA Combined Transport Bill of Lading* is a rather new document, internationally accepted for goods travelling in containers. It is referred to by the English name. It covers the entire voyage even if the means of transport changes.

Apart from the above transport documents, two more documents are required when goods are shipped: the *fattura commerciale* and the packing list (the Italian translation *distinta pesi* is rarely used).

A *fattura commerciale* is a request for payment. It contains all the information to identify the goods, such as the price, weight, terms of payment, etc.

A *packing list* indicates the number and weight of the various parcels which make up the consignment.

□ 7.3 Enquiries

7.3.1 Requesting a quotation

Vi preghiamo di comunicarci le vostre tariffe per il trasporto via aerea
mare
ferrovia
camion

Dobbiamo spedire (describe goods) da (name of place) a (destination) e vi saremmo grati se ci voleste far pervenire le vostre miglior tariffe.

Vogliate farci sapere la vostra tariffa per ritirare al nostro indirizzo e consegnare a (destination) la seguente consegna.

Vorremmo inviare per via aerea (describe goods giving size and weight). Fateci sapere le vostre tariffe per il trasporto e l'assicurazione.

Desideriamo effettuare una consegna di (describe goods) del peso di (give weight), delle dimensioni di (give measurements) da (name of place) a (destination). Vogliate informarci su quali navi siano in partenza prima della fine del mese. Comunicateci anche le vostre tariffe.

7.3.2 Replying to enquiries

Le tariffe per spedizioni via mare sono attualmente molto alte poichè vi sono poche navi disponibili. Le tariffe di trasporto nette ammontano a . . .

Possiamo caricare la vostra consegna di (description of goods) sul nostro primo volo per (destination), la cui partenza è prevista per il (date). Le nostre tariffe aeree per trasporto su crates è . . .

Possiamo caricare la vostra merce sulla (name of ship), che salperà il (date). Le nostre tariffe sono . . .

7.3.3 Describing packing

Tutti i containers hanno una protezione interna impermeabile e sono chiaramente marcati con simboli internazionali che indicano fragile
verso l'alto.

Ogni articolo è avvolto separatamente in materiale antiurto, messo in scatole singole prima di essere imballato in cartoni.

Gli articoli saranno fasciati, coperti con tela da sacchi e fermati con nastri metallici.

□ 7.4 Instructions for transportation

7.4.1 Instructing container/shipping company

Vi preghiamo di ritirare una consegna di (describe goods) e di recapitarla a (name and address of purchaser).

A conferma della nostra telefonata di questa mattina, vi preghiamo di prendere in carico le seguenti merci per una spedizione consolidata su container il (date) da consegnare a (address). Alleghiamo fattura commerciale in 4 copie, packing list, bolletta doganale, certificato d'origine.

Vogliate consegnare la merce presso i magazzini del nostro spedizioniere.

7.4.2 Instructing an agent

Vogliate assicurare la merce con una polizza all-risks e addebitarla sul nostro conto.

Vi preghiamo di provvedere al ritiro di (goods) e alla consegna a (address).

Vogliate avvisarci appena arriva la merce, che, fino a nostro ordine, dovrebbe essere custodita nei vostri magazzini.

7.4.3 Requesting instructions

Fateci avere vostre istruzioni di spedizione per questa consegna.

La merce è arrivata. Vogliate farci avere ulteriori istruzioni per telex.

Abbiamo messo a magazzino la consegna di (goods) che è arrivata il (date). Teniamo la merce a vostra disposizione e gradiremmo ricevere le vostre istruzioni a proposito.

□ 7.5 Chartering a ship

For large consignments, importers may charter a ship for a particular voyage (*charter a viaggio*) or for a period of time (*charter a tempo*). Ship chartering is usually done through shipbrokers in the main ports. Most of the chartering is done by telex or fax and confirmed later by letter.

7.5.1 Requesting a charter

Vi saremmo grati se poteste noleggiare una nave per trasportare un carico di (goods) da (place) a (place).

Vogliate trovarci una nave adatta per (describe goods, weight and size) che devono essere caricate a (place).

Vi scriviamo questa lettera a conferma del nostro telex di oggi nel quale vi chiedevamo di trovarci una nave da noleggiare per un periodo iniziale di tre mesi per spedizioni di (describe goods) da (place) a (place).

Vorremmo noleggiare una nave per un viaggio da (place) a (place) per effettuare una consegna di (describe goods, size and weight). Fateci sapere se trovate una nave disponibile e a che termini.

7.5.2 Replying to an enquiry about chartering a vessel

A conferma della nostra telefonata di oggi, abbiamo fatto un'opzione per la (name of vessel). Ha una capacità di carico di (number) tonnellate. È quindi più capace di quanto abbiate richiesto ma esiste la disponibilità ad offrire un contratto di charter parziale.

Per la (name of ship) ci sono state quotate (amount) a tonnellata, che ci sembra una tariffa molto competitiva.

Alleghiamo un elenco di diverse navi disponibili. Fateci sapere quali vi sembrano adatte alle vostre esigenze e saremo lieti di ispezionarle per voi.

Siamo lieti di informarvi che siamo risciti ad assicurarci la (name of ship) per voi. Grati se ci confermerete il nolo via telex.

Con riferimento alla vostra richiesta del (date), siamo spiacenti di comunicarvi che non siamo riusciti a trovare il tipo di nave che vi necessita per il (date). Abbiamo comunque fatto un'opzione su (name of ship). La tariffa richiesta ammonta a (amount) a tonnellata. Vogliate farci avere conferma per telex quanto prima poichè abbiamo molte richieste per navi di questo tonnellaggio.

□ 7.6 Insurance

To insure against loss or damage, the company should ask for quotations from different companies or obtain them through a broker. The company then completes a *modulo di richiesta di assicurazione*. In return for the payment of a *premio* the insurer agrees to pay the insured a stated sum should any loss or damage occur. The premium is quoted in lire percent. So if the goods are insured at a certain amount of lire %, you have to pay that amount for every 100 lire the goods are worth. A *certificato di assicurazione* is an agreement that the goods are insured until the *polizza* is prepared. Once the policy is ready, the client is *indennizzato*, ie the client will be restored to his original position should there be any loss or damage.

7.6.1 Requesting a quotation

Desideriamo assicurare la seguente consegna con una polizza all risks per l'ammontare di . . .

Vi preghiamo di farci pervenire la quotazione per una polizza aperta all risks su merce per il valore di (amount), da assicurare per consegne regolari di (goods) da (place goods from) a (place goods going to).

Or:

Fateci sapere le vostre tariffe per una polizza aperta all risks per il valore di (amount) per assicurare consegne di (goods) da (place) a (place).

Richiediamo copertura assicurativa da (date).

Sarebbe gradita una quotazione competitiva.

7.6.2 Giving a quotation

Possiamo assicurare la consegna in questione alla tariffa di . . .

Abbiamo ricevuto quotazioni da diverse compagnie e siamo in grado di ottenere l'assicurazione richiesta a . . . lire %

Possiamo offrirvi un tasso del . . .% per una copertura totale di (amount).

Suggeriamo una polizza all risks per la quale possiamo applicare una tariffa del . . .%.

7.6.3 Instructing an insurance company/broker

Vogliate fare una polizza assicurativa ai termini da voi offerti.

Abbiamo l'incarico di accettare le vostre tariffe di . . . lire% per coprire (describe goods). Vogliate iniziare le pratiche e farci pervenire la polizza quanto prima.

Possiamo accettare i termini da voi quotati con il 5% di sconto per consegne regolari. La nostra prima spedizione sarà effettuata il (date), pertanto attendiamo la vostra polizza nei prossimi giorni.

Vi chiediamo copertura assicurativa per (amount). Vi saremmo grati se ci faceste avere la polizza appena pronta. Nel frattempo assicurateci che le consegne sono già coperte da assicurazione.

Vogliate assicurarci per il valore di fattura più il . . .%.

7.6.4 Making an insurance claim

Una consegna di abiti, coperta dalla Polizza No . . . è stata rubata durante il trasporto. Vogliate inviarci il modulo di richiesta di risarcimento danni.

La nostra consegna di (goods) è arrivata danneggiata, in quanto bagnata da acqua di mare. Riteniamo che il danno ammonti a (amount) e alleghiamo il rapporto della perizia fatta a suo tempo.

□ 7.7 Reporting problems

7.7.1 Reporting non-arrival of goods

Non abbiamo ancora ricevuto la consegna di (describe goods), che doveva arrivare il (date). Vogliate indagare su questo problema e informarci.

Il compratore (name of company) del nostro cliente non ha ancora ricevuto (goods), di cui alla B/L 389587 e vorrebbe conoscere i motivi del ritardo.

Abbiamo preso in consegna (goods) il (date); mancavano comunque tre casse. Vi preghiamo di scoprire dove siano finite.

7.7.2 Reporting loss or damage

Ieri abbiamo ricevuto il nostro Ordine No . . . Sebbene le casse non fossero danneggiate, abbiamo trovato molti articoli rotti nell'interno. Ne alleghiamo l'elenco.

Vi saremmo grati se poteste sostituire quanto prima i seguenti articoli.

Abbiamo riferito i danni al vettore e teniamo la scatola e il contenuto a disposizione perchè sia ispezionato.

Siamo spiacenti di dover comunicare che la nostra consegna di (goods) ci è giunta ieri in condizioni non accettabili. Alleghiamo un elenco dettagliato degli articoli danneggiati, che restano a vostra disposizione. Poichè chiederete, da parte vostra, danni al vettore, saremo lieti di fornirvi ogni ulteriore informazione.

La spedizione di abiti (Order No . . .) è giunta ieri. È apparso subito chiaro che le scatole erano state manomesse e alcuni articoli trafugati.

□ 7.8 Sample correspondence

Telex informing a customer that their order is ready. They need to know the name of the customer's freight company so they can arrange delivery:

ATT. FRANCHI

1 VOSTRO ORDINE PRONTO ALLA CONSEGNA. FATECI SAPERE TRAMITE QUALE SPEDIZIONIERE DEVE ESSERE EFFETTUATA LA SPEDIZIONE.
2 ABBIAMO INVIATO LE ISTRUZIONI PER ESPRESSO.

CORDIALMENTE
GIOVANNI GUIDI

Letter sent from the supplier informing the buyer that an order has been shipped:

Oggetto: Consegna Vs. Ordine No. 321
Ns. Conferma No. 6251

Spettabile Ditta,

siamo lieti ad informarvi che l'ordine in oggetto è stato evaso e alleghiamo copie dei seguenti documenti di spedizione:
Fattura in 4 copie
Packing list in 4 copie
Full set di On board B/L
Certificato di assicurazione per valore di fattura CIF
Certificato d'Origine
Certi che la consegna sarà di vostra soddisfazione, vi ringraziamo nuovamente per l'ordine che ci avete passato e vi inviamo i nostri più cordiali saluti,

A message faxed to inform a customer that there has been a change in the date of shipment of their order:

Oggetto: Consegna Vs. Ordine No. 523
Ns. Conferma No 2156

Spettabile Ditta,

Siamo spiacenti di comunicarvi che la spedizione dell'ordine in oggetto non potrà essere effettuate il 17 luglio con la 'Santa Maria'. La Compagnia di Navigazione ha cambiato le date di partenza e pertanto dobbiamo far partire il vostro ordine il 19 luglio con la 'Clarabella'.
Ci auguriamo che questo cambiamento non vi causi problemi.

Distinti saluti,

8 Accounts and payment

□ 8.1 Methods of payment

8.1.1 Banks in Italy

There are two major types of banks: *banche d'affari and banche commerciali*:

Banche d'affari or *istituti speciali di credito*, can be of various types. They offer credit at medium or long term and operate on the financial market.

Banche commerciali or *banche di credito ordinario* can offer the same services as merchant banks, but they are more interested in private customers and offer short-term credit and counter service. The main ones have branches throughout the country. It is difficult to say which banks are more important in Italy today, as changes are continually taking place.

8.1.2 Methods of payment within Italy

Bonifico bancario also known as *rimessa*, is a payment made through a bank without a cheque being sent by post. Credit is transferred from the debtor's bank to the creditor's bank. It is possible to effect a *bonifico* via telex, which allows for the quick transfer of money.

Assegno di conto corrente issued by a bank or Post Office. The cheque card has met with little success in Italy. Cheques are therefore accepted by the creditor, based on his trust in the debtor. The bank is never required to cover a cheque *scoperto*, irrespective of the sum. To issue such cheques, also known as *assegni a vuoto* is a crime.

The cheque can be *non trasferibile*, ie cashable only by the creditor and not counter-signed by the latter as a means of paying a third party. The cheque can be *sbarrato* with two vertical lines. In this case the cheque can only be cashed by a client in the same bank or in another bank, whose name appears between the two parallel lines. Cheques in Italy are payable within 8 days in the place of issue or within 15 days elsewhere.

Assegno circolare is a title of credit whereby a bank undertakes to pay a certain sum, cashable at the bank's counter. It is obtained by depositing the sum with the bank, which then issues a cheque to the order of the beneficiary. In practice it can be cashed in any bank and has cash value.

Addebito diretto is a system used by people who have a bank account. The bank is authorized to pay certain creditors periodically on request of payment.

Cambiale, also known as *pagherò*, is a promise of payment within a certain date called *scadenza*. This must have an official, legal stamp on it and, if not paid, can be *protestata*, ie legal action can be taken to obtain payment, irrespective of the reason which led to non-payment.

Tratta, also known as *cambiale tratta*, is a written order sent by the seller to the buyer to pay a certain amount within a certain date. The buyer signs it for *accettazione*. As with the *cambiale*, it must be stamped and can be *protestata*.

Ricevuta bancaria is perhaps the form of payment most commonly used in Italian business practice when the client enjoys the trust of the supplier. The seller delegates the bank to obtain payment on a given date.

Vaglia postale (see Sections C 1.4.3 and C 3) is a payment made through the Post Office and has no relevance to business practice. It can be cabled.

Contrassegno is a service of the Post Office. The goods are delivered only after cash payment. This is the system used in selling by catalogue to private buyers. The same service is sometimes offered by forwarders, but it then becomes very costly.

Carta di Credito is issued by a bank, *Visa, American Express, Diners Club*, etc and is used for purchasing goods or services on credit.

8.1.3 Methods of payment abroad

Bonifico bancario is a payment transferred through a national bank to a foreign bank. The payment may be made by post, telex or *SWIFT* (*Society for World-wide Interbank Financial Telecommunicaiton*). All the major banks have joined SWIFT.

Assegno. At present foreign cheques can be cashed in Italy but not vice versa.

Tratta estera has the same characteristics as the *tratta* used within Italy (see above), apart from the fact that in many foreign countries it cannot be *protestata*. Drafts can be sent by post but most frequently they are presented to the buyer for payment or acceptance through a bank. In D/A (*documenti contro accettazione*) payments or in CAD (the English acronym for cash against documents is generally used) payments the correspondent bank will release the documents of title only against acceptance or payment of the draft.

Credito documentario, also known as *Lettera di credito* is issued by the buyer's bank and gives information about the goods, the amount, how long the credit is available and any documents involved, eg insurance, shipping, etc. The letter of credit guarantees that the issuing bank will pay up to a specified amount by a certain date to a seller against presentation of accepted drafts supported by specified documents.

Carte di credito (see above).

Eurocheques are issued by banks which adhere to the *Eurocheque* system and can be cashed in the same banks.

Travellers' cheques are issued by the biggest foreign banks and are cashed in banks and in larger commercial businesses. Establishments usually indicate which travellers' cheques will be accepted.

□ 8.2 Payment

8.2.1 Instructing the bank

Vogliate trasferire l'equivalente in Lire Sterline di (amount) a (bank) a favore di (name of company or person), addebitandolo sul nostro conto.

Vogliate inviare la tratta allegata spiccata su (name of company) e i relativi documenti a (bank) e dare incarico di rilasciarli dietro accettazione della tratta.

Alleghiamo i seguenti documenti: Bill of Lading, Fattura, Certificato di Assicurazione e Certificato d'Origine. Questi documenti devono essere rilasciati a (name of company) dietro pagamento di (amount).

Riceverete una tratta di (amount) e i relativi documenti da parte di (name of company).

Vogliate aprire un credito documentario per (amount) a favore di (name of company). Alleghiamo il modulo debitamente compilato.

Vogliate aprire un credito documentario per l'ammontare di (amount), con scadenza il (date), esigibile dietro presentazione dei seguenti documenti per consegna di (describe goods).

8.2.2* Informing the buyer

Come da accordi abbiamo inviato tratta per (amount) con i documenti alla vostra banca (name of bank). I documenti saranno rilasciati dietro accettazione.

Vi inviamo tratte per l'incasso e alleghiamo i relativi documenti.

Abbiamo spiccato una tratta a 30 giorni su di voi e i documenti vi saranno rilasciati dietro accettazione.

Abbiamo emesso una tratta a vista che sarà inviata a (name of bank) e vi sarà presentata per pagamento con i documenti.

Vi ringraziamo per l'invio dei documenti relativi al nostro ordine No . . . Abbiamo pagato la tratta a vista e la banca dovrebbe notificarvi l'incasso quanto prima.

Abbiamo istruito la nostra banca ad aprire un credito documentario a vostro favore per l'ammontare di (amount), con scadenza il (date) contro presentazione dei seguenti documenti.

Vi informiamo che il vostro Ordine No . . . è stato spedito il (date) su (name of ship), il cui arrivo a (port) è previsto per il (date). I documenti relativi alla spedizione, compreso la Bill of Lading, la Polizza d'Assicurazione, il Certificato d'Origine e la Fattura Consolare sono stati inviati a (name of bank) che li inoltrerà alla vostra banca.

La tratta da noi emessa su di voi a fronte del vostro ordine No . . . ci è stata ritornata con la stampigliatura Refer to Drawer. Poichè la tratta scadeva cinque giorni fa, ne deduciamo che non è stata pagata.

Un vostro assegno per l'ammontare di (amount) ci è stato ritornato dalla nostra banca con la dicitura 'Cifre e lettere non coincidono'. Alleghiamo l'assegno e contiamo di ricevere quanto prima l'assegno corretto.

8.2.3* Informing the supplier

From the buyer:

Abbiamo istruito la nostra banca (name of bank) affinchè sia aperta una Lettera di Credito a vostro favore per l'ammontare di (amount). Il credito scade il (date).

Abbiamo richiesto a (name of bank) di aprire un Credito Documentario in vostro favore, con scadenza il (data).

From the bank:
Vi inviamo copia del credito documentario No. . . . ricevuto ieri, aperto in vostro favore da (name of bank) per un ammontare di (amount), con scadenza il (date). Per ogni informazione, non esitate a contattarci.

8.2.4 Requesting payment

Alleghiamo la nostra Fattura per l'ammontare di . . .
il vostro estratto conto
il nostro estratto conto mensile
la Fattura Pro-forma

Attendiamo vostra rimessa a saldo della Fattura No . . . allegata.

I documenti di spedizione vi saranno rilasciati contro accettazione della tratta che emetteremo.

Secondo i nostri accordi inviamo alla nostra banca tratta a vista e documenti affinchè vi siano inoltrati.

8.2.5 Making payments

Alleghiamo la vostra tratta accettata relativa alla vostra fattura pro-forma No . . .
In pagamento di quanto vi dobbiamo, alleghiamo una tratta per (amount).
A saldo della vostra fattura No . . . inviamo tratta accettata per (amount).
Allegata alla presente inviamo tratta accettata per . . .
Abbiamo incaricato la Banca . . . di effettuarvi un bonifico a saldo di . . .
Vogliate spiccare tratta a vista su di noi per l'ammontare della vostra fattura.
Allegata la vostra tratta accettata per . . .

8.2.6* Requesting credit facilities

Poichè lavoriamo insieme da un certo tempo, gradiremmo che accettaste di cambiare i nostri termini di pagamento.

Vorremmo saldare le vostre fatture a trenta giorni, sconto 2%.

Vorremmo sapere quali termini di pagamento siete in grado di concedere per ordini di una certa consistenza, che pensiamo di passarvi.

Data la nostra precisione nei pagamenti passati, vogliate farci sapere se è possibile in futuro saldare le vostre fatture a 60 giorni netto.

Data la nostra lunga reciproca conoscenza, gradiremmo sapere se è possibile passare a pagamenti liberi. Fateci sapere quali garanzie vi necessitano.

8.2.7 Taking up references

Orders from abroad are generally placed through an agent, who checks the buyer's reliability. When a customer is unknown, safe terms of payment, such as documentary credits, will be arranged. So the case for taking up references is quite rare in foreign trade. Requests for credit should be made in the following way:

1. Request general information about the future customer's standing:
   (Name of company) desiderano lavorare con noi su una base di pagamenti

liberi. Ci dicono che li conoscete bene e vi saremmo grati se poteste fornirci informazioni sulla loro solidità finanziaria.

2. Request their opinion on the firm's ability to pay within a stated limit:
   Mentre siamo certi della solvibilità del cliente, ci chiediamo se la loro solidità finanziaria consente pagamenti di cifre superiori a . . .
3. Say that information will be treated as confidential:
   Non è necessario ovviamente aggiungere che le informazioni che ci fornirete saranno trattate in maniera strettamente riservata.
4. Enclose a stamped addressed envelope or an International Reply Coupon as they are doing you a favour:
   Alleghiamo una busta con indirizzo e francobollo o un International Reply Coupon e vi saremmo grati per una sollecita risposta.

8.2.8 Replying positively about a firm's credit rating

La ditta ci è nota
è nostra cliente da (time)
lavora qui da (time)
fa affari con noi da (time)
Hanno sempre effettuato pagamenti puntuali.
Non esiteremmo a concedere loro le aperture di credito che ci chiedete.

8.2.9 Replying negatively about a firm's credit rating

When a report is negative, you must take care not to mention the company's name in case of libel action:

In risposta alla vostra lettera del (date), vorremmo consigliarvi di prendere le dovute cautele nel servire la ditta della quale ci chiedete informazioni.

La ditta citata nella vostra lettera ha avuto qualche problema nei pagamenti, anche per cifre inferiori a quelle da voi menzionate.

Always remind the enquirer that the information is confidential and that you take no responsibility for it:

Queste informazioni sono strettamente confidenziali e riservate e non ne assumiamo responsabilità.

8.2.10 Refusing credit facilities

Vi ringraziamo per il vostro Ordine di (date). Dato l'attuale livello della vostra esposizione con noi, siamo certi vorrete capire che forniture ulteriori, fino a nuova data, dovranno essere intese per pagamento in contanti.

Siamo spiacenti di comunicarvi che siamo costretti a dichiarare decadute le condizioni di pagamento pattuite poichè, per cause di forza maggiore, i nostri margini sono annullati. Fidiamo nella vostra comprensione e contiamo di avervi ancora tra i nostri clienti, anche se dobbiamo chiedervi pagamenti in contanti.

8.2.11 Acknowledging payment

La nostra banca ci ha comunicato che l'ammontare della vostra Lettera di credito ci è stato accreditato in conto.

Vi ringraziamo per il tempestivo inoltro della vostra tratta a fronte della nostra Fattura No . . .

8.2.12 Querying invoices

Nel controllare la vostra fattura No . . ., abbiamo riscontrato che le nostre cifre non coincidono con le vostre.

Dobbiamo farvi notare che avete omesso di accreditarci lo sconto pattuito sulla Fattura No . . .

Ci sembra che abbiate fatturato l'imballaggio mentre siamo certi che era incluso nella vostra quotazione.

Il costo del trasporto ci sembra piuttosto alto.

8.2.13 Making adjustments

Vi ringraziamo per averci segnalato l'errore nella nostra fattura datata (date) e vi preghiamo di accettare le nostre scuse.

Alleghiamo la fattura corretta e ci scusiamo nuovamente per l'errore.

Il prezzo che vi era stato dato si intendeva per forniture superiori a (quantity). Per ordini di entità inferiore applichiamo il normale prezzo di listino.

Ci dispiace che non ci siamo capiti circa i costi di imballaggio, che non si intendevano inclusi nella nostra quotazione. Questi costi appaiono in fattura separatamente.

8.2.14 Reminding

First reminder:

Vorremmo attirare la vostra attenzione sulla nostra Fattura No . . . che non ci risulta ancora saldata. Vi saremmo grati se voleste provvedere ad inviarci la vostra rimessa a saldo quanto prima. Se avete già provveduto, ignorate questo sollecito.

La nostra fattura vi è stata inviata il. . . . Ne alleghiamo una copia. Poichè la banca non ci ha notificato alcun avviso di ricevuto pagamento, vi preghiamo di voler provvedere.

Vi scriviamo a proposito del vostro insoluto di . . . Vi preghiamo di inoltrarci la vostra rimessa a saldo quanto prima.

Second reminder:

Alleghiamo il vostro estratto conto con noi, che risulta scoperto. Siamo certi che vi è sfuggito, ma poichè questo è il nostro secondo sollecito, vi preghiamo di voler effettuare il pagamento nel giro di una settimana.

Desideriamo ricordarvi che la nostra Fattura No . . ., datata . . . ci risulta ancora inevasa e vi chiediamo di provvedere quanto prima.

Siamo spiacenti di non aver ricevuto risposta alla nostra lettera del . . ., che vi sollecitava ad accettare la nostra tratta relativa alla fattura No. . . . Ci vediamo pertanto costretti a richiedervi il pagamento dovuto senza ulteriori dilazioni.

Vi abbiamo già scritto in data . . . per sollecitare il pagamento della nostra Fattura No. . . . Poichè preferiremmo non passare questa pratica al nostro legale, vi concediamo ancora altri dieci giorni per provvedere al saldo.

Final reminder:

Speravamo che le nostre fatture di Gennaio fossero a questo punto già saldate. Vi abbiamo inviato ripetuti solleciti e copie delle fatture in Febbraio e Marzo, chiedendovi di provvedere al saldo. Se non effettuerete il pagamento nel giro di una settimana, saremo costretti a passare la pratica al nostro legale.

Vi abbiamo scritto due volte il (date) e il (date) per ricordarvi la Fattura No . . . che risulta ormai scoperta da tre mesi. Poichè non abbiamo ricevuto da voi alcuna risposta, ci vediamo costretti a passare a vie legali a meno che non riceviamo il pagamento nel giro di una settimana.

8.2.15 Requesting time

Ci spiace di non essere stati in grado di provvedere al nostro insoluto. Purtroppo non abbiamo ancora potuto rivendere la merce da voi acquistata a causa della nuova regolamentazione, che ci ha costretto a modificare il nostro impianto di assemblaggio. Vi è possibile concederci una dilazione di pagamento per . . . giorni?

Vogliate accettare le nostre scuse per non aver risposto alla vostra lettera del . . ., che ci chiedeva di provvedere al saldo del nostro scoperto. Siamo in questo particolare momento in difficoltà finanziarie, ma contiamo di onorare i nostri impegni se ci concedete una dilazione di ulteriori . . . giorni.

Siamo spiacenti di dovervi comunicare che non siamo in grado di saldare per intero la vostra Fattura No . . . e ci chiediamo se possiate accettare un pagamento parziale in contanti e il saldo nei prossimi . . . mesi.

8.2.16 Replying to a request for time

Siamo estremamente dispiaciuti nell'apprendere le vostre attuali difficoltà. Date le circostanze, siamo disposti a concedervi una dilazione di . . . settimane per saldare il vostro scoperto.

Comprendiamo la vostra situazione, ma ci è impossibile attendere ulteriormente il vostro pagamento. Abbiamo pertanto passato la pratica al nostro legale, ma contattateci immediatamente se pensate di poter offrire qualche soluzione al problema.

□ 8.3 Sample correspondence

A faxed message asking the buyer to open a Letter of Credit for their order and informing them when the goods will be shipped:

Oggetto: Ordine S/C No 436185

Spettabile Ditta,

vogliate aprire quanto prima Lettera di Credito per l'ordine in oggetto e comunicarcene la posizione.
Le merci saranno inoltrate tramite lo spedizioniere Corsini e Rossi e dovrebbero essere imbarcate il 13 Giugno.
Vi preghiamo di confermarci per telefax il vostro recente ordine No 451284 in modo che possiamo allestirlo con puntualità.

Cordialmente,

Telex informing the supplier that a Letter of Credit has been arranged:

ATT. SIG SOLDI

APERTO L/C NO 562348 PER LIT 6.305.00 TRAMITE COMIT SU ANZ BANK, MELBOURNE COME PRECEDENTI.
DISTINTI SALUTI

GAMMAFIL

Letter telling a customer that his credit account has been closed:

Egregio Sig. Pacetti,

il nostro amministratore ci ha fatto notare che ha continui problemi con il pagamento delle vostre fatture. Ci risulta che paghiate sempre dopo più di tre mesi dalla data di fattura, mentre i nostri accordi erano per pagamenti a 30 giorni netto.
Di conseguenza siamo spiacenti di dovervi comunicare che accetteremo vostri eventuali futuri ordini solo per pagamento contro documenti.

Distinti saluti,

9 Complaints and apologies

□ 9.1 Making a complaint

Complaints should be statements of fact. Never use emotive or abusive language. (See also Section A 3.5 on the correct tone of a business letter.)

Strongly emotive words	Better to use
Siamo disgustati	*sorpresi*
arrabbiati	*dispiaciuti*
offesi	*insoddisfatti*
sconvolti	
seccati	
ignominioso	
È scandaloso	*spiacevole*
vergognoso	

9.1.1 Saying what you are referring to

Vi scriviamo a proposito di . . .
Con riferimento a . . .
Ieri abbiamo ricevuto l'ordine No . . .

9.1.2 Stating the problem

Siamo sorpresi di scoprire che l'ordine completo non è stato consegnato.
Abbiamo trovato che le parti . . sono mancanti.
Il servizio non ci è sembrato all'altezza del solito standard.
Non abbiamo ancora ricevuto la merce.

9.1.3 Suggesting a solution

Come previsto dai termini di garanzia, vi saremmo grati se ci sostituiste la merce.
Se poteste detrarre (amount) dal nostro prossimo ordine, pensiamo che il problema potrebbe considerarsi risolto.
Restituiremo la merce appena avremo vostre istruzioni.
Siamo costretti a chiedervi di sostituire la merce danneggiata.
Per piacere accreditateci il valore della merce restituita.
Siamo disposti a tenere la merce se ad un prezzo notevolmente scontato.

9.1.4 Giving an explanation

La merce è stata consegnata in ritardo perchè era stata spedita al nostro precedente indirizzo.
L'estratto che ci avete mandato era indirizzato al Signor T. James mentre il nostro nome è T. W. James.
Le etichette nella consegna non erano conformi alle nostre disposizioni.
La stampante era imballata inadeguatamente e l'avanzamento automatico sembra bloccato.

□ 9.2 Replying to a complaint

9.2.1 Acknowledging the complaint

Abbiamo ricevuto la vostra lettera del . . . che ci avvisa che/di . . .
Vi ringraziamo per la vostra lettera del . . . che ci informa di/che . . .
che ci notifica il . . .
Siamo molto dispiaciuti nell'apprendere che . . .
Siamo oltremodo dispiaciuti di apprender dalla vostra lettera del . . . che avete avuto problemi con . . . che avete recentemente acquistato da noi.

9.2.2 Saying what action has been/is being taken

Abbiamo iniziato a far ricerche per scoprire la causa del problema.
Abbiamo cominciato ad indagare sul vostro problema.
Stiamo trattando il problema con lo spedizioniere e vi informeremo sul risultato.
Abbiamo indagato sulla causa del problema e abbiamo scoperto che l'errore era dovuto ad un calcolo contabile errato.
Purtroppo i nostri magazzinieri non hanno notato le istruzioni speciali per l'imballaggio di questa consegna, ma abbiamo preso provvedimenti perchè ciò non debba ripetersi in futuro.
Abbiamo chiesto al Primo Steward del volo in oggetto di farci un rapporto completo dei fatti.
Ci siamo accordati con il nostro addetto al servizio tecnico affinchè vi contatti il prima possibile per poter venire ad ispezionare . . . Una volta che la merce sia stata esaminata e sia risultata difettosa, sarà nostro dovere fornirvene la sostituzione.

9.2.3 Offering a solution

L'errore è stato corretto sul nostro computer e il problema non si riproporrà in futuro.
Alleghiamo una Nota di Credito per il valore della merce.
Vi faremo avere la sostituzione della merce danneggiata quanto prima.
Vi preghiamo di trattenere la cassa e gli articoli danneggiati affinchè il nostro rappresentante possa ispezionarli.

9.2.4 Apologizing

Siamo veramente dispiaciuti se questo ritardo vi ha causato qualche problema. Siamo certi che un equivoco simile non si ripeterà in futuro.
Siamo fornitori di ceramica di alta qualità da 15 anni e contiamo sulla nostra capacità a fornire un servizio eccellente. Speriamo quindi che questo problema non vi impedirà di comprare da noi in futuro.
Vi preghiamo di accettare le nostre scuse per il problema causato dal nostro errore. Vi possiamo garantire che questo particolare difetto è molto raro ed è improbabile che possa ripresentarsi.

9.3 Sample correspondence

A complaint:

Oggetto: Ordine No 4561

Spett. Ditta,

abbiamo appena ricevuto la vostra consegna di 400 portafogli Art. Duna, mentre il nostro ordine era per l'Art. Oasis. Deve essere avvenuto un qualche disguido.
Vi riinviamo la merce, di cui attendiamo sostituzione. Si intende che i costi di trasporto saranno a vostro carico.

Cordialmente,

A reply:

Oggetto: Ordine No 4561

Spettabile ditta,

Siamo veramente dispiaciuti di apprendere dalla vostra lettera del 14 Marzo che vi è stato inviato erroneamente un articolo diverso da quello ordinato.
Vi preghiamo di non spedirci indietro la merce, che sarà ritirata dal nostro agente, Sig. Rossi, che vi contatterà per il ritiro. Nel caso foste disposti a trattenerla, potremmo accordarvi per questa consegna un pagamento a 45 giorni, invece dei soliti 10 giorni.
L'Art. Oasis sarà spedito per via aerea tramite Danzas.
Ci scusiamo per il ritardo di questa consegna e per i problemi che vi può aver creato.
I nostri più cordiali saluti,

10 Miscellaneous

□ 10.1 Hospitality

10.1.1 Offering help and hospitality to a visitor

Siamo felici di sapere che sta programmando una visita per il prossimo mese. È un peccato che sua moglie non possa venire, speriamo di vederla la prossima volta.
Dal momento che questa è la sua prima visita qui, speriamo che abbia il tempo di fare anche un po' di turismo. Saremo felici di organizzarle qualcosa.
Quando le date del vostro viaggio saranno confermate, fatecelo sapere in modo che vi possiamo prenotare l'albergo. Vi posso venire a prendere all'aereoporto e portarvi in albergo.
Attendiamo con piacere di vedervi qui.

10.1.2 Thanking for hospitality

Vi ringrazio per tutto il vostro aiuto e la gentile ospitalità ricevuta nel corso della nostra visita.
La mia visita è stata molto proficua e vi sono estremamente grato sia per tutti gli appuntamenti che mi avete organizzato che per le informazioni e i contatti che ho potuto ottenere.
Spero di potervi restituire tutte le gentilezze ricevute.

10.1.3 Introducing a business associate

Il latore di questa lettera è (name) ed è (job title) che sta visitando (place) per stabilire contatti in (kind of business).
Vi ricorderete che vi abbiamo scritto circa una sua visita.
Vi saremo grati se lo/la poteste presentare a qualcuno dei vostri soci.
Saremo lieti di poter ricambiare la vostra collaborazione in qualunque momento.

10.1.4 Formal invitation

Written in the third person without salutation, complimentary close, etc.

Il Presidente e i Direttori di (name of Company) hanno il piacere di invitare la Signoria Vostra al pranzo che avrà luogo il (date), alle (time) presso (place) RSVP (address)

The words *cravatta nera* or *cravatta bianca* which could appear in the left margin signify respectively that a dinner jacket and evening dress or tail coat for men and long dress for ladies would be advisable.

10.1.5 Replying to formal invitation

Ringrazio il Presidente e i Direttori per il loro cortese invito al pranzo del (date) che ho il piacere di accettare/che sono veramente spiacente di non poter accettare a causa di precedenti impegni.

10.1.6 Informal invitation

Mia moglie ed io avremo alcuni amici a pranzo il . . . e saremmo lieti di avervi con noi in questa occasione. Speriamo che possiate venire e attendiamo con gioia di vedervi.

10.1.7 Informal invitation added to a letter

Dopo lo spettacolo mio marito ed io saremmo lieti di avervi a casa nostra per una cena/spuntino/drink.

10.1.8 Reply to informal invitation

Grazie per il tuo/suo/vostro gentile invito per il (data) che sono felice di accettare. Non vedo l'ora di vedervi.

Vi ringrazio per il vostro gentile invito. Mi sarebbe piaciuto molto venire ma, poichè devo ritornare a (place) il (day) dovrò partire subito dopo la festa. Forse possiamo fissare di passare un po' di tempo insieme in occasione della mia prossima visita qui.

□ 10.2 Appointments

10.2.1 Making and confirming an appointment

Sto programmando di essere a (place) nel prossimo mese, e mi chiedo se potremmo organizzare un incontro per discutere (topic). Penserei di telefonarvi quando arrivo per fissare un appuntamento.

Vi scrivo per confermare la conversazione telefonica di questa mattina. Verrò al vostro ufficio il (date) alle (time). Attendo con piacere di potervi vedere e definire i termini del contratto.

10.2.2 Cancelling an appointment

Come vi ho spiegato al telefono questa mattina, sono veramente dispiaciuto di non poter rispettare l'appuntamento preso per il (date). Purtroppo devo esaminare una questione che è sorta nel nostro ufficio di New York. Mi scuso per i problemi che posso avervi causato e vi contatterò appena rientro a Londra.

□ 10.3 Bookings

10.3.1 Making/confirming a booking

Hotel:

Vi scriviamo per confermarvi la nostra telefonata di questa mattina per la prenotazione di una singola per due notti dal 14 al 16 maggio a nome (name). Alleghiamo un Eurocheque per l'ammontare di (amount), come anticipo.

Il vostro albergo ci è stato raccomandato da (name) che frequentemente soggiorna da voi. Vorrei prenotare una suite con camera a due letti dal 15 al 17 settembre compreso.

Vogliate informarci se avete disponibili 12 camere singole da (date) a (date). Abbiamo intenzione di tenere il nostro corso annuale di aggiornamento in quel periodo e vorremmo quindi sapere se avete anche sale per riunioni. Vi preghiamo di farci sapere il prima possibile se potrete ospitarci e se ci invierete tutte le informazioni necessarie.

Mia moglie ed io abbiamo intenzione di passare tre giorni a (place) a partire da (date). Per piacere fateci sapere se potete prenotare una camera doppia con bagno. Gradiremo ricevere anche i vostri prezzi.

Travel:

Vorrei un volo per (place) il (date) con ritorno per il (date). Se non ci sono voli disponibili per quella data, fatemi per piacere sapere quale è il primo volo possibile.

Vorrei prenotare un posto sul volo da (place) per (airport) il (date) con ritorno il (date).

A conferma della nostra telefonata di questa mattina, vi prego prenotare un biglietto di andata e ritorno sul traghetto Dover–Ostenda a nome (name) per il (date). (Name) viaggerà con la sua macchina, una (make of car). Confermerà la data del ritorno quando sarà in Francia.

Sto programmando un viaggio d'affari nella Spagna del nord e vorrei noleggiare un auto senza autista per circa due settimane. Vogliate informarmi sulle vostre tariffe e sulla possibilità di avere una macchina piccola con apertura posteriore da (date) a (date).

□ 10.4 Letters of sympathy

10.4.1 To an associate who is ill

Siamo stati grandemente dispiaciuti nel ricevere la notizia della sua grave malattia.

L'ho saputo solo questa mattina quando ho telefonato al suo ufficio. So che il peggio è passato e spera di ricominciare a lavorare il prossimo mese.

Tutti noi dell'ufficio siamo stati felici di apprendere quali buoni progressi lei abbia fatto ed inviamo i nostri migliori auguri per una veloce guarigione.

10.4.2 On the death of a business associate

Siamo profondamente addolorati nell'apprendere la notizia della tragica morte di (name). La notizia ha sconvolto tutti noi soprattutto perchè la avevamo vista recentemente e in ottima salute.

So che il vostro personale tutto ne sentirà grandemente la mancanza ed io per primo rimpiangerò l'integrità e lo spirito con il quale conduceva i suoi affari.

Vogliate gentilmente comunicare le nostre più sentite condoglianze al marito e alla famiglia.

10.4.3 Acknowledgement of condolences

Vi ringrazio sentitamente della vostra gentile lettera di condoglianze per la morte di (name).

Noi tutti abbiamo ricevuto un grande conforto dalle affettuose lettere che abbiamo ricevuto. Tutti quanti conoscevano (name) ci hanno parlato così bene di lei che questa dimostrazione di affetto e di stima nei suoi confronti ci è stata di grande aiuto in questi difficili momenti.

□ 10.5 Congratulations

10.5.1 On a promotion

Le scrivo per inviarle le mie più sentite congratulazioni per la sua recente promozione a (post). Siamo felici che il suo intenso lavoro e il suo spirito di iniziativa siano stati così riconosciuti e dobbiamo veramente dire che nessuno, a nostro avviso, merita questo incarico più di lei.

Le auguriamo ogni successo.

10.5.2 On the birth of a baby

Abbiamo saputo telefonando al suo ufficio che è divenuto padre di un bel bambino/una bella bambina. Tutti noi mandiamo a sua moglie e a lei le nostre congratulazioni e vi preghiamo di accettare questo piccolo dono come manifestazione del nostro affetto verso di voi.

□ 10.6 Application for a job

Vorrei che il mio nome fosse tenuto in considerazione per il posto di (job title) di cui avete pubblicato l'annuncio su (name of newspaper/journal) in data (date).

Da quando ho iniziato a lavorare nel settore di (area of work), ho sempre tenuto in grande considerazione i vostri prodotti e sarei felice di avere la possibilità di lavorare per la vostra ditta.

Allego il mio curriculum. Gradirei avere un colloquio con voi in qualunque momento riteniate opportuno.

□ 10.7 Sample correspondence

A letter confirming an appointment already made by phone:

Cara Daphne,

in seguito alla mia telefonata di ieri, ti scrivo per confermarti il nostro appuntamento per giovedì pomeriggio 30 gennaio alle 3, presso il tuo ufficio.

Cordialmente,

Telex message thanking a supplier for hospitality (see Section B 2.2, 2.3 and 2.5 for the wording of telexes):

ATT: TUTTO L'UFFICIO ROVERTI

RIENTRATO SANO E SALVO QUESTA MATTINA DOPO FORZATA VACANZA HONGKONG. GRAZIE VOSTRA CORDIALE ACCOGLIENZA. E' STATA UNA VISITA FANTASTICA DA NON DIMENTICARE.

CORDIALMENTE
FRANCO ROSSI

Note: Sender writes 'FORZATA' as his flight was delayed. The tone is quite informal, they must be friends.

Telex message arranging to meet a supplier:

ATT. CLAUDIO

GRAZIE PER TUO TLX. FELICE DI RIVEDERTI A MONACO. INVECE DI MANDARCI MATERIALE VIA TNT SKYPAK PUOI PORTARMELO A MONACO? SARO' IN GERMANIA DAL 29 AG IN POI, FAMMI SAPERE TUO ALBERGO E TELEFONO PER CONTATTARTI
AVETE UNO STAND ALL'ISPO? FAMMI EVENTUALMENTE SAPERE SETTORE E NUMERO PER INCONTRARCI LI'.

A PRESTO
BRIAN

Note: TNT SKYPAK is an airfreight service. ISPO is a trade fair.

A telex message advertising a seminar:

QUESTO TELEX PER INVITARVI AL SEMINARIO CHE SARA' TENUTO AL PALAZZO DEI CONGRESSI DI FIRENZE IL 14 APRILE. IL TEMA DEL GIORNO SARA' (SUBJECT) E I RELATORI SARANNO:
(NAMES) (TITLES)
IL PROGRAMMA DEL SEMINARIO SARA':

12.00–13.00	COLAZIONE
14.00	TAVOLA ROTONDA
16.00	CONCLUSIONI
17.30	FINE DELL'INCONTRO

TUTTI I DELEGATI SONO INVITATI A FAR PERVENIRE LE LORO DOMANDE SUL TEMA. QUESTE SARANNO ESAMINATE DA UNA SOTTOCOMMISSIONE PRIMA DI ESSERE PRESENTATE DAL PRESIDENTE ALLA TAVOLA ROTONDA.
L'ISCRIZIONE AL SEMINARIO E' DI LIRE 50.000 A PERSONA.
RIVOLGERSI A: (NAME, ADDRESS AND PHONE NUMBER OF ORIGINATOR)

SECTION B:
BUSINESS COMMUNICATION

1 The telephone

□ 1.1 How to say numbers and figures

1.1.1 Telephone numbers

There are several ways of saying telephone numbers and they are all acceptable. The most common is in groups of 2 or 3:
592662 cinquantanove, ventisei, sessantadue
23312 ventitrè. trecentododici
or duecentotrentatrè, dodici
or due, trentatrè, dodici
or ventitrè, trentuno, nove

Even though there is no accepted general rule, it is advisable to say the numbers as they are grouped in the telephone directory.

0 is given as *zero*.

581209 – cinquantotto, dodici, zero, nove

Giving the numbers of a telephone number one by one is rare in Italy, except when speaking to foreigners. All telephone numbers have a code in front of them; these codes are for the area and can be found on top of each directory page or in a separate booklet. Codes can be shown on the company's notepaper as a number or an area: Firenze 562348 or (055) 562348.

Codes are given as separate figures:

055 457399 zero, cinque, cinque, quarantacinque, settantatre, novantanove

1.1.2 Other numbers

Check that you know how to say other numbers and measures:

¼	un quarto	25%	venticinque per cento	0,25	zero virgola venticinque
⅓	un terzo	33 ⅓%	trentatre e un terzo per cento	0,35	zero virgola trentacinque
½	un mezzo	50%	cinquanta per cento	0,5	zero virgola cinque
⅔	due terzi	66%	sessantasei per cento (approximately)	0,66	zero virgola sessantasei
¾	tre quarti	75%	settantacinque per cento	0,75	zero virgola settantacinque

Decimals: In Italian decimals are written with a comma. It is referred to as *virgola* and numbers after the comma are said as a complete new figure.

Fractions: Apart from ½, which is *mezzo,* use ordinal numbers for all other fractions:

1/4 un quarto
1/16 un sedicesimo
3/10 tre decimi

Written	**Spoken**
100	cento
101	centouno
165	centosessantacinque
1.000	mille
1.005	mille e cinque
1.050	mille e cinquanta
1.305	mille tre cento cinque
10.000	diecimila
10.001	diecimilauno
10.050	diecimilancinquanta
10.302	diecimilatrecentodue
10.312	diecimilatrecentododici
100.000	centomila
1.000.000	un milione
1.000.000.000	un miliardo
1.000.000.000.000	mille miliardi

1.1.3 Time

The 12 hour system:

	Written	**Spoken**
On the hour	9	nove di mattina
		nove di sera
Other times	9,05	nove e cinque
	9,10	nove e dieci
	9,15	nove e un quarto
	9,20	nove e venti
	9,30	nove e mezzo
	9,35	nove e trentacinque / venticinque alle dieci
	9,40	nove e quaranta / venti alle dieci
	9,45	nove e quarantacinque / un quarto alle dieci
	9,50	nove e cinquanta / dieci alle dieci
	9,55	nove e cinquantacinque / cinque alle dieci

The 24 hour system is used only in formal language:
Voglia fissarmi un appuntamento alle tredici.
Minutes are added in the same way as in the 12-hour system.
The *pomeriggio* is usually thought of as from 1pm until 6pm, the *sera* from 6pm to 11pm, the *notte* from bedtime until the morning. Never say *buon*

pomeriggio, but use *buona sera* after 3pm. (See section C1.4)
Don't forget to check time differences when phoning. (See Section C4.2).

1.1.4 Dates

Say the day first, then the month. Remember that days are given in cardinal numbers, with the exception of 1 which is generally *il primo.*

23/12/89 il ventitrè dicembre millenovecentoottantanove

1.1.5 Letters

If it is necessary to spell names, the names of well-known cities are used, but there is no standard code. Different people use different cities for the same letters.

A come Ancona or *Alessandria*
B come Bologna or *Bari*
C come Catania or *Como,* etc.

□ 1.2 Misunderstanding in spoken Italian

Italian is difficult for English-speaking people to understand because almost all words are stressed. Furthermore, Italian does not employ a glottal stop between vowel sounds. These two characteristics of Italian pronunciation may give English speakers the impression they are hearing an uninterrupted and chaotic sequence of sounds. Misunderstandings also occur because of mistakes in syntax and only a good general knowledge of Italian can prevent these. A common cause of mistakes among English speakers of Italian is the so-called 'false friends', those words in the two languages which look the same but are often very different in meaning.

English	Italian	False friend	Meaning of false friend
actual	reale	attuale	present, current
argument	discussione	argomento	subject, topic
convenient	comodo	conveniente	good value for money
extravagant	carissimo	stravagante	eccentric
morbid	morboso	morbido	soft
pretend (to)	fingere	pretendere	claim (to), demand of
sensible	sensato	sensibile	sensitive
trivial	insignificante	triviale	coarse
ultimately	fondamentalmente	ultimamente	lately

These are only some examples. A book which is of great help is:
V. Browne. *Odd Pairs and False Friends,* Zanichelli 1986, Bologna.
The positioning of words can also give rise to misunderstandings:
un pover uomo is an unfortunate person or a person of little value
un uomo povero is a person with little money

□ 1.3 What to say on the phone

1.3.1 Asking to speak to a particular person

<table>
<tr><td>You hear:
Greeting:</td><td>You say:
Asking to speak to a particular person:</td></tr>
<tr><td>(Company name) Buon giorno/Buona sera.
(Company's name) Desidera?</td><td>Buon giorno/Buona sera.
Qui (company's name)
Sono (name) Potrei parlare con il signor Rossi/la signora Rossi il (job title) per piacere?
Potrei parlare con qualcuno dell'ufficio/reparto . . ., per piacere?
Interno . . ., per piacere.
Buon giorno/Buona sera. Vorrei parlare con chi si occupa di . . .

If you have the wrong number:
Mi dispiace, devo avere un numero sbagliato.</td></tr>
<tr><td>Operator putting you through:
Ve lo/la sto passando.
Un momento/minuto, prego.
Resti/stia in linea, prego.
La linea è libera.
Attenda un attimo, le passo la linea.</td><td>Grazie.</td></tr>
<tr><td>The person is not available:
Il numero è occupato, vuole attendere in linea?</td><td>Sì, grazie.</td></tr>
<tr><td>Può restare in linea? Il numero è occupato.</td><td>Sì, aspetto.</td></tr>
<tr><td>Non riesco a prendere il numero di . . . Se può attendere un momento, provo di nuovo.</td><td>Non importa, richiamerò più tardi.

Posso lasciare un messaggio? Sono il signor/la signora (job title) da (campany's name) di (place) Può dire . . .

Bene, chiamo dall'Italia. Può chiedere a (name) di chiamarmi appena può? Ha il mio numero.</td></tr>
</table>

Leaving a message:

Mi spiace, il signor . . . non è in ufficio in questo momento. Devo riferire qualcosa / volete dire a me o vi devo far richiamare più tardi?

Non importa, richiamerò io più tardi.

Può dire al signor . . . di chiamarmi prima delle tre oggi? Sono . . . della ditta . . .

. . . non è nel suo ufficio
. . . è in vacanza
. . . è in riunione. Volete parlare con qualcun altro?

Può passarmi qualcuno che tratti . . .
Potrei parlare con la segretaria del signor . . .
C'è qualcun altro che può . . .?
Può dire al signor (job title) . . . che ho chiamato e richiamerò più tardi?

1.3.2 Calling Directory Enquiries

Dial 12. (See section C 4.2)

Operator:	*Caller:*
Sì, desidera?	Vorrei un numero dell'elenco abbonati di Firenze.
Che cognome?	Bassi
Passi.	No, Bassi. B come Bari.
Bassi, e il nome?	Non so. È una ditta e l'indirizzo è Piazza della Repubblica 6.
Il numero è tre nove sette sette zero quattro	Trentanove settantasette zero quattro. Grazie. E mi sa dire il prefisso di Firenze?
055	Grazie.

1.3.3 Making a call

You want to introduce yourself:
Sono (name with or without Signor, Signora or job title) della (company).
Parlo a nome della (company).

You want to explain the purpose of your call:
Chiamo a proposito del nostro . . .
Si tratta di . . .
Chiamo in riferimento a . . .
Per risparmiare tempo ho pensate di chiamarvi circa . . .
(Name) della (company) mi ha dato il vostro nominativo e dice che mi potreste aiutare a proposito di . . .

You can't hear:
Mi scusi, non ho sentito le sue ultime parole.
La linea è pessima. Potrebbe ripetere?
Mi spiace, non ho sentito che cosa ha detto.
Non ho sentito l'ultima frase. Le dispiacerebbe ripeterla?

You can't understand:
Mi dispiace ma non capisco che cosa vogliate dire.
Mi dispiace ma non capisco proprio.
Può spiegarmi di nuovo. Non ho proprio capito.

You want to show you've understood:
Sì
Capisco.
Esatto.
Va bene.

You want to make sure you are still connected:
Pronto, è in linea?
Mi sente?

You want to say that you'll pass on a message:
Farò in modo che il suo messaggio sia riferito al signor . . .
Riferirò il vostro messaggio al signor . . .

You don't want to commit yourself:
La posso richiamare a questo proposito?
Preferirei parlar con il signor . . . prima di prendere una decisione.
Mi spiace, ma abbiamo bisogno di maggiori informazioni.

You want to get some information:
Sto parlando con la persona giusta per informazioni di marketing?
Mi può passare qualcuno che si occupi di marketing?
Mi sa dire chi si occupa di marketing?
Con chi sto parlando, prego? (said after a person has given you the information you want)
Mi chiedo se può aiutarmi. Avrei bisogno di un elenco di agenti che trattino . . .
Desiderei una copia del vostro catalogo, per piacere.
È possibile avere una serie di campioni?

1.3.4 Appointments

A	B
Pensate che potremmo fissare un incontro? Penso che dovremmo incontrarci e discuterne ancora.	
	Buona idea. Devo essere presto a Londra comunque. Bene, ma quando?

Che impegni avete per la prossima settimana?	
Che cosa mi dite di venerdì?	
E per giovedì?	
Vi andrebbe bene giovedì?	Giovedì non è possibile, mi spiace.
Può andare giovedì?	Mi è impossibile per quel giorno.
Potrebbe fare per il prossimo giovedì?	No, mi spiace. Giovedì non è possibile.
Va bene venerdì?	Venerdì sarebbe libero.
Venerdì andrebbe bene. Diciamo alle dieci e mezzo?	Non mi è possibile la mattina. Che ne direbbe del pomeriggio? Diciamo alle due?
Facciamo venerdì allora. A che ora le andrebbe bene?	Sono occupatissimo di mattina, ma sarò libero dopo pranzo.
Vediamoci alle due venerdì allora. Al vostro ufficio. A venerdì allora.	A venerdì allora.
	Venerdì alle due. Va bene.

You want to cancel an appointment:

Mi dispiace, ma non possiamo vederci. Ho avuto dei problemi.

Mi dispiace ma sono costretto a rimandare il nostro incontro. Non posso venire a Londra fino al prossimo mese.

Può dire al signor . . . che il signor . . . è molto dispiaciuto ma è costretto a cancellare il suo appuntamento per il (date). Si metterà in contatto lui stesso appena gli è possibile.

Il signor . . . mi ha chiesto di riferirivi che non può vedervi il (date).

Purtroppo deve essere presente ad un incontro urgente negli Stati Uniti. Vi contatterà appena rientra.

□ 1.4 Spoken Italian in other situations

1.4.1 At reception

Ah, Signor Rossi, il signor Bianchi vi sta aspettando.

Buon giorno/Buona sera signore/signora. In che cosa posso esserle utile?

Mi può dire il suo nome signore/signora?

Chi desidera vedere?

Ha un appuntamento?

Mi spiace, non ho capito il suo nome.
Mi può ripetere il suo nome, prego?

Si sieda pure, il signor Bianchi arriverà subito.
Vuol sedersi un attimo per piacere, il signor Rossi sta arrivando.

Posso offrire qualcosa de bere? Note: it does not necessarily mean an alcoholic drink.

1.4.2 Small talk

Come è andato il viaggio?
il volo?
Ha fatto una buona traversata?
un buon viaggio?
Ha già prenotato l'albergo?
Vuole che le prenoti un albergo?

Note: Asking someone where they are staying could be considered tactless if the hotel is of a cheaper type and the person might not want to say.

È mai stato a . . . prima?
Che ve ne pare di . . .
C'è un magnifico ristorante cinese non lontano dal vostro albergo.
È arrivato al momento giusto. C'è il Festival di musica questa settimana.
Spero che abbia il tempo di fare un po' di turismo.
Dovreste trovare il tempo per mangiare da . . . Fanno una cucina splendida.

Introducing someone:
Signor Rossi, le presento il signor Bianchi.
Posso presentarle il signor Bianchi?
Conoscete il signor Bianchi?
Reply: Piacere.
Lieto di conoscerLa.

Introducing yourself:
Non credo che ci conosciamo già, mi chiamo Paolo Bianchi.
Posso presentarmi? Il mio nome è Paolo Bianchi.
Reply: Piacere.
Lieto di conoscerla.
Sono Carlo Rossi, felice di conoscervi.
Note: The name and a smile as an answer is probably better, as *piacere* or similar expressions sound old-fashioned. (See section C2.6 on handshaking.)

Invitations:
Vuole che pranziamo insieme?
Mi chiedo se vi può far piacere cenare insieme.
Accepting: Vi ringrazio molto.
Grazie, è molto gentile.
Oh sì, grazie.
Oh grazie, mi fa molto piacere.
Declining: Mi piacerebbe molto ma non posso.
Sarebbe molto bello ma oggi non posso.
Mi dispiace non posso. Può essere per un'altra volta?

Suggestions:
Che ne direste di andare a mangiare?
Andiamo!
Andiamo a pranzo?

Thanks:
Grazie per tutto il vostro aiuto.
Grazie per tutto quello che avete fatto per me.
Reply: Di niente.
Si figuri! È stato un piacere.
È stato splendido.
bellissimo.
meraviglioso.
Reply: Sono felice che vi sia piaciuto.

Not understanding:
Può spiegarmelo di nuovo, per piacere?
Che cosa significa esattamente . . .?
Non ho capito il punto a proposito di . . .
Non sono sicuro di aver capito quello che ha detto.
Temo di non averla capita.

Finishing a conversation:
Dovrei andare, mi spiace.
Mi dispiace ma devo andare via subito.
devo proprio partire.
dovrei andare via.
Bene, devo andare.
Se mi scusate, dovrei andare.
Allora farei meglio ad andare via.
Note: *Bene* can be used to change the subject, to go back to the main point of discussion as well as to bring a conversation to an end. *Allora* is often used at the beginning of a sentence to connect it to the discussion or to information given by the other person: *allora alle due*, or at the end of a conversation *allora a presto*.

2 Telex

□ 2.1 Advantages of telex

With many companies, the telex has taken over from the letter as the main means of written correspondence and it is also preferred to the telephone in many cases.

Advantages over a letter

It is cheaper than using a secretary's time to produce a perfect letter.

It is immediate and provides a 24-hour service as the machine can receive messages even when unattended.

Any inaccuracies can be checked immediately with the sender.

Advantages over the telephone

Messages can be transmitted at any time irrespective of working hours or time zones.

Transmission times are shorter and cheaper than the equivalent telephone call.

Information can be misheard on the phone.

In some situations the sender may want to avoid personal contact, for example when there is bad news.

Time is not wasted while the caller is put through to the right person.

One advantage over both the above is that the automatic acknowledgement ('answer back') from the other end is a guarantee of receipt.

□ 2.2 Telexese – or how to write telexes

Telexes can be written in full with no omissions or abbreviations. More commonly they follow the pattern used in sending cables.

Shorten the message by leaving out the unimportant words. These are words which are not necessary to the meaning. The following are the most common kinds of words which carry little meaning: Personal pronouns, verbs such as essere and avere, articles, prepositions, conjunctions, etc.

In the following message these words are underlined:

IL NOSTRO ORDINE NO P/S879/T E' ARRIVATO DI LUNEDI' MA SIAMO DISPIACIUTI DI DOVERVI INFORMARE CHE TRE DEI CARTONI SONO STATI DANNEGGIATI.

The message can be understood leaving out the function words:

ORDINE NO P/S879/T ARRIVATO LUNEDI' DISPIACIUTI INFORMARE TRE CARTONI DANNEGGIATI.

Do *not* leave out any function words which are important to the message:

PARTENZA PREVISTA DAL 15 GENNAIO

In this message DAL is essential to the meaning.

Pay particular attention when you write numbers and remember how to write them in various languages. (For full stops, commas and decimals, see Section 1.1.2.)

□ 2.3 Abbreviations used in telexes

Use abbreviations only when they will be understood by the receiver.

Type 1 Standard abbreviation:

Those that are never written in full, eg ecc., N.B., P.C., P.S. Standard abbreviations understood by native speakers, eg VS, NS, UFF, RIF, GEN, LUN, ATT

Type 2 Commercial abbreviations:

Examples (See also Abbreviations Section at back of book.)

ADD.	Addebito (debited)
B/L	Bill of Lading
CONT.	Contanti (cash)
DF	Data fattura (date of invoice)
FATT.	Fattura (invoice)
F.CO	Franco
F.M.	Fine mese (end of month)
FT	Fattura (invoice)
GG.	Giorni (days)
L/C	Lettera di Credito (letter of credit)
LIT.	Lire (lira)
N.C.	Nota di credito
N.D.	Nota di debito
NO.	Numero (number)
P.TO	Porto assegnato
R.B.	Ricevuta bancaria
SC.	Sconto (discount)
T.A.	Tratta accettata

Type 3 Internationally recognized telex abbreviations:

ABS	Abbonato assente, stazione disinserita (Absent subscriber, office closed)
BK	Interrompo (I cut off)
CFM	Conferma/confermo (please confirm / I confirm)
COL	Collazione/confronto (Collation please / I collate)
CRV	Come ricevete/Ricevo bene (Do you receive well? / I receive well)
DER	Linea o stazione d'abbonato guasta (out of order)
DF	Siete collegato con l'abbonato desiderato (You are in communication with called subscriber)
EEE	Errore (Error)
FIN	Fine trasmissione (I have finished my message)
GA	Invito a trasmettere (You may transmit / May I transmit?)

INF	Rivolgersi al servizio informazioni (Subscriber temporarily unobtainable. Call the Enquiry Service)
MNS	Minuti (durata della trasmissione) (Minutes)
MOM	Attendere un momento (Wait/Waiting)
MUT	Mutilato (Mutilated)
NA	Questo abbonato non è ammesso alla corrispondenza pubblica (Correspondence to this subscriber not admitted)
NC	Connessione impossibile (No circuits)
NCH	L'abbonato chiamato ha cambiato numero (Subscriber's number has been changed)
NP	Il richiesto non è più abbonato (The called party is not or is no longer a subscriber)
NR	Indicate il vostro numero/Il nostro numero è (Indicate your call number/My call number is . . .)
OXX	L'abbonato richiesto è occupato (Subscriber engaged)
OK	Sta bene (Agreed / Do you agree?)
P* or O	Fermate la vostra trasmissione (Cease your transmission)
PPR	Carta (Paper)
R	Ricevuto (Received)
RAP	Chiamerò di nuovo (I shall call you back)
RPT	Ripetizione (Repeat / I repeat)
SVP	Prego (Please)
TAX	Quali sono le tariffe (What is the charge? / The charge is . . .)
TEST MSG	Favorite trasmettere un testo di prova (Please send a test message)
THRU	Siete collegati con un posto telex (You are in communication with a telex position)
TPR	Telescrittore (Teleprinter)
W	Parole (Words)
WRU	Chi siete? (Who is there)
XXXXX	Errore (Error)

Corrections are made by typing five X's.
CONFERMIAMO DOS XXXXX DISPONIBILITA'

Type 4 Abbreviations invented by some telex users:

The only abbreviations used are those recognized internationally in business and a few others such as:

ART.	Articolo (article)
COL.	Colore (colour)
NS.	Nostro (our)
VS.	Vostro (your)

□ 2.4 Telex services

2.4.1 Telex services at post offices

For companies who do not own their own telex machines, there is a telex service run by the Post Office in the main towns. Most companies have their own machines however.

□ 2.5 Sample telexes

Confirming a hotel reservation:

CONFERMO PRENOTAZIONE SINGOLA 11 AGOSTO A NOME PIERO NALDI. SIG. NALDI SALDERA' ALLA PARTENZA

Agent arranging a meeting between customer and supplier:

ATT SIG. MANCINI
CLIENTE DESIDERA INCONTRARVI 22 OTT. SARETE IN INGHILTERRA E AVRETE CON VOI MATERIALE? RISPONDETE IMMEDIATAMENTE AL NO TLX 297661 ATT SIG. BIANCHI TEL 458716.
SALUTI

Giving a quotation:

ATT SIG. FREDDI
RIF. PREZZI ART 123 E 456 SCARPE TELA
ART. 123
37/38 LIT 20.000
39/45 LIT 22.000
ART. 456
37/38 LIT 24.000
39/45 LIT 26.000
NESSUN SCONTO IN FATTURA FOB GENOVA IMBALLAGGIO IN PLASTICA 20/25 PAIA PER CARTONE. L/C IRR. CONF.
RINGRAZIAMO E INVIAMO CORDIALI SALUTI
SCARPAMODA SPA

Note: LIT = Italian lira

Asking for information about a product:

NS TLX 1027
ATT DR POZZI
RIF. VS TLX 156
1 FORNITECI CAMPIONI
2 DITECI VALIDITA' PREZZI
3 DATECI CARATTERISTICHE TECNICHE
4 DITECI PAESE D'ORIGINE
SALUTI
PIERI SRL

Request for acknowledgement of payment to be translated and sent to a customer:

PER PIACERE TRADUCETE IL SEGUENTE TESTO IN INGLESE E
TRASMETTETELO A TAIPAK LTD 557841 TAIP GB. GRAZIE.
ATT. ANDREW
ACCUSIAMO RICEVUTA VS ASSEGNO IN PAGAMENTO FATTURA
NO 4517
SALUTI
FRATI SNC

Informing about progress of negotiations for a loan:

ATT SIG. PALMUCCI
SEMBRA CHE ROSSI SIA DISPOSTO A CONCEDERE PRESTITO AI
TITOLARI DELLA FANTATEX ED APRIRE L/C IN VECE LORO. ESISTO-
NO GARANZIE DI PRIMARIA BANCA. APPENA DOCUMENTAZIONE
IN MIO POSSESSO VI INFORMERO'.
CORDIALI SALUTI

3 International telegrams and telemessages

□ 3.1 International telegrams

It is possible to send telegrams abroad by dialling 186. Charges for telegrams are based on the number of words used. The number of words can be reduced by using abbreviations described in the section on Telex.

Cables are not used between firms, but are useful when someone is on a business trip in a town where there is no Post Office telex service.

Numbers written in words

STOP to show the end of each sentence

ARRIVATO OGGI POMERIGGIO STOP PRENOTATE
VOLO PER LUBIANA MARTEDI' QUINDICI STOP SARO'
VS UFFICIO DOMANI SERA ORE DICIOTTO
SALUTI RUFFINI

□ 3.2 Telemessages

Telemessages (*fonogrammi*) have almost replaced the telegram. They are a service run by SIP and can be sent by telephone or telex. To send a telemessage, dial 186 and ask for *Dettature telegrammi*. To send a telex, look in the Telex Directory for the correct number and read the instructions. This service is available for sending messages both within Italy and abroad.

You are charged at the same rate as telegrams plus lit. 1000 or lit. 1200 depending on how far your telephone is from the office providing the service.

Before dictating your message, draft it out. Count the number of words and try to reduce it if possible. See Section B 2.2 for reducing the number of words in a message.

Fonogrammi are delivered by post the day after sending. There is no delivery on Sundays.

SECTION C:
BUSINESS AND CULTURAL BRIEFING ON ITALY

1 General information

□ 1.1 Population

The population of Italy is 57 million, with a density of 190 inhabitants per square km. The distribution of the population between large urban areas and small towns (or villages) reveals a striking difference between the northern-central regions and the southern ones. Eighteen million Italians live in large urban areas. Half the population of northern and central Italy are urban dwellers, whereas only one third of the population of the south live in cities. This is indicative of a north-south split which is present in every aspect of Italian life, from economics to social outlook.
On the whole the Italian population is an ageing one, with an average life expectancy of 70.1 years and one of the lowest birth rates in the West.

□ 1.2 Sub-divisions within Italy

Italy is split into 20 regions distributed in three areas which are generally dealt with separately in official statistics.

Northern Italy:	Valle D'Aosta, Piemonte, Lombardia, Liguria, Veneto, Trentino Alto Adige, Friuli Venezia Giulia and Emilia Romagna.
Central Italy:	Toscana, Umbria, Marche, Lazio, Abruzzo and Molise.
Southern Italy and the Islands:	Campania, Puglia, Basilicata, Calabria, Sicilia and Sardegna.

□ 1.3 Transport

1.3.1 Railways

The railway system is almost totally state-run by the *Ferrovie dello Stato* (FFSS).
Most trains have first and second-class carriages. Italian trains are divided into many different categories:

Locali (L):	used by commuters for short distances since they stop at any station.
Diretti (D):	stop in many stations.
Espressi (E) and *Rapidi:*	stop in main centres.
Intercity:	a network of trains connecting only major towns.

TEE: long distance trains, which stop at main towns, with first class service only. They also provide restaurant and bar service and trainphones on some trains.

Treni letto: sleeping accommodation available.

Trains are quite cheap in Italy compared with others in Europe, but the system is generally inefficient.

Travellers who care for punctuality should rely only on Intercity trains or on *rapidi*.

Information and booking services are provided in most stations.

1.3.2 Coach services

A national network of coach services does not exist, but many towns are connected by efficient coach services run by local companies. Some of these also run international services with very low fares.

1.3.3 Transport in main towns

It is important for people in business to have information about transport in the major Italian cities. Italian economic life is not all centred in Rome. From an economic point of view Milan is probably more important than Rome, and cities such as Torino, Genova, Bologna, Florence and Naples have a role which is not inferior to Rome's in an economy based for the most part on medium-sized and small concerns.

Only Rome and Milan have an *Underground* system of transport, but in both cities the network is quite limited. The ticket fare is not related to the distance of the journey and seasonal tickets can be bought.

Bus services are generally efficient in most big towns, though the chaotic traffic in the big centres can make them unacceptably slow. On most buses tickets are not sold, and you have to cancel your ticket by inserting it into a special machine inside the bus. In this case there will be a notice outside which says *Biglietti a terra* or *Solo obliterazione*.

Tickets for buses can be bought at tobacconists', bars, newspaper kiosks or at the ticket offices of the local bus company.

Buses are often overcrowded, with very few seats available.

Taxi fleets in most big towns are not extensive. Taxis may be of different colours, but the authorized ones always have a light above the windscreen and a meter. Taxis are available for hire if the light is on. Fares are paid according to the meter, on which a minimum payable charge is shown when you hire a taxi. For longer journeys, the fare must be negotiated before you start.

Since many Italians are reluctant to use public means of transport, the centres of most towns are overrun by private cars despite parking problems.

To cope with the congestion of central areas, many towns have recently set up *zone di traffico limitato* (areas of limited traffic) where access is allowed only to public transport and to residents. Out-of-city cars are generally permitted to enter these areas, but only for access to hotels.

You can find tourist information offices in major city centres as well as in the main railway stations.

1.3.4 Roads in Italy

Passenger and freight traffic is carried mainly by road. Private ownership of cars has been growing rapidly and the car is the most popular form of transport. A good road network and the inefficiency of the railway system have increased the traffic by road.

There are three types of roads: *Autostrade* (A roads) are toll motorways, have three lanes and are designed to link the major centres. The system covers 5,956 kms, two thirds of which are in northern and central Italy.

Superstrade are toll-free motorways and have two or three lanes.

Strade statali (SS) make up the old Italian road network, designed to link the major centres. They have been gradually replaced by *autostrade* and *superstrade* (motorways). They have one lane in each direction and go through towns and villages.

Strade provinciali cover short distances and link towns and villages.
Road haulage has a dominant position in the movement of freight. There has been a move to larger vehicles carrying heavier loads. The traffic problems caused by lorries on motorways have become a matter of public concern. Lorry traffic is forbidden at weekends and special motorways for road haulage are being planned. Though most road haulage is run by small companies, there are many big businesses which cover vast areas of the country. All of them are privately-owned.
The main organization for drivers is the *Automobil Club Italiano* (ACI) with offices in most towns. The ACI provides information about routes and driving in Italy as well as help for member motorists when they break down. It has reciprocal membership with other European motoring associations, so it is advisable to check with one in your country if you are planning to drive to Italy.
Speed limits are given in kms per hour (see Section C 1.6).

1.3.5 Air travel

The principal international airports are Malpensa and Linate in Milan, and Fiumicino and Ciampino in Rome, but European flights are also currently operated by most regional airports.
All airports provide transfer buses to the centres of towns.
Taxis and car hire facilities are available, as well as public coinbox phones in any airport.

Banking facilities are generally limited to the change of foreign currency and have the same timetables as banks. The number of business travellers who prefer to travel within Italy by air is constantly increasing, mainly on the routes connecting the north with the south and on those linking the mainland with the islands of Sardinia and Sicily.

1.3.6 Ferry terminals

Ferry serrvices, on many different routes, link:

Genova	to Corsica and Sardinia
Livorno	to Corsica, Sardinia and Sicily
Civitavecchia	to Corsica, Sardinia and Sicily
Naples	to Sardinia and Sicily
Villa S.Giovanni	to Sicily (rail and car ferry)
Venezia	to Jugoslavia, Greece, Turkey and Egypt
Ancona	to Jugoslavia and Greece
Bari	to Jugoslavia and Greece
Brindisi	to Greece

Nearly all the services operate throughout the year but some have reduced services in winter.
The importance of ferries for the business traveller is quite limited as they are mainly used by tourists in summer. Booking well in advance is strongly advisable, even in winter.

□ 1.4 Hours of business

1.4.1 Shops

Shops generally open at 9am and close at 7pm with a break from 1pm to 4pm although there are slight variations from one region to another. Every shop, depending on the kind of goods they sell, is closed for one afternoon (or morning) or one weekday a week. Which day it is, is decided by each commercial category at a local level. In summer the half day off is however, as a general rule, Saturday afternoon.

1.4.2 Banks and bureaux de change

Banks are open from 8.30am to 1.30pm and from 3pm to 4pm from Monday to Friday, as a general rule.
Travellers cheques, as well as the main international credit cards, are often accepted in hotels, shops and restaurants. Look for the notice on the shopwindow.
In accordance with the present regulations, foreign money can be changed only in banks and no bureaux de change can be found. The bureaux de change found on the Italian borders are actually branch offices of banks and are generally open longer than normal banking hours.

1.4.3 Post offices

The normal hours of business are Monday – Saturday from 8.30am to 2pm. Certain offices open from 2.30am to 6.30pm but only for certain services, such as registered letters, *posta celere* (the national courier service), *CAI-post* (the international courier service), telegrams, telex and fax services.
In main towns there are generally one or more offices which are open from 8.30am to 7pm.

1.4.4 Office hours

In the private sector a five-day week is the general rule and business hours are from 8.30/9am to 5/5.30pm with a one-hour lunch break in northern Italy. In central and southern Italy, where people still go home for lunch more often than not, the break is longer and consequently most offices do not shut until 7pm.
Civil service offices are open to the public every day, including Saturdays, from 8am to 2pm.
Schools: both primary and secondary schools generally start at 8.30am and finish at 12.30pm for younger students, 1.30pm for older ones. Saturday is a school day.

1.4.5 Domestic life

Most people get up between 7 and 8am. Italians generally prefer to have both their meals at home, if their hours of business allow them to. In the north and central regions, however, the tendency towards a shorter lunch break means that fewer people are going home for lunch.
Dinner time is any time from 7 to 9pm, with people in the north eating earlier.
Most people are in bed by 11pm, but regional differences are quite marked and going to bed at midnight or later is quite common among adults, even on weekdays.
Hours of full-time work are usually 36 – 40 hours a week with many people working longer because of overtime, a very common practice in the private sector.
The most common leisure activities of the Italians are home-based, especially when they are either too young or too old to go out! Watching television is for them the most popular pastime.
Italians generally like to go out whenever possible, and eating out is a favourite pastime at any age. Going to the cinema, going to see football matches and outings on Sundays, either to the countryside or for sightseeing, are all popular. Skiing in winter and swimming in summer are quite popular as well. Youngsters practise sports much more than adults and like to go out with friends for a drink or to a disco.
Holiday entitlements have increased for most full-time employees and most of them have a basic holiday entitlement of four weeks. The problem is that almost everyone goes on holiday in August, leaving the towns deserted and congesting seaside and mountain resorts. For this reason more and more Italians are

becoming long-distance travellers. Greece is still a favourite destination, but many people go to northern European countries and to places farther away. Italians like to spend their money on journeys and only young people are money-minded when they are abroad.

1.4.6 Official public holidays

Italian official public holidays are:

1 January –	New Year's Day
6 January –	Epifania, familiarly referred to as Befana, the equivalent of Santa Claus for Italian children
Easter Monday	
25 April –	Italy's Liberation
1 May –	Labour Day
15 August –	Bank Holiday
8 December –	Virgin Mary's Immaculate Conception
25 December –	Christmas Day
26 December –	St Stephen's Day

The great majority of businesses and shops close down in August, and no contact should be planned with Italian firms in that month.

□ 1.5 Value Added Tax (IVA)

IVA is charged on most goods sold in Italy, and is included on the price shown in the store.

□ 1.6 Weights and measures

(See Section C 1.6 in the Italian language portion of this book.)

In Italy the metric system is universal.

1.6.1 Clothing sizes

Women's clothing

Dresses, coats, sweaters, blouses:

American	–	8	10	12	14	16
British		10	12	14	16	18
Continental	–	38	40	42	44	46

Shoes:

American	6	6½	7	7½	8	8½
British	4½	5	5½	6	6½	7
Continental	38	38	39	39	40	41

Men's clothing

Suits, overcoats, sweaters:

American/British	34	36	38	40	42	44	46
Continental	44	46	48	50	52	54	56

Shirts:

American/British	14½	15	15½	15¾	16	16½	17
Continental	37	38	39	40	41	42	43

Shoes:

American	8	8½	9½	10½	11½	12
British	7	7½	8½	9½	10½	11
Continental	41	42	43	44	45	46

Note: For sweaters, shirts and blouses the American sizes small, medium, large and extra large are more and more common.

□ 1.7 Health services

In 1980 Italy set up a state health service similar to Britain's, whereby every citizen is entitled to free medical and hospital treatment. Charges for medicines and medical tests are a small percentage of their real costs, when they are perscribed by a *medico di famiglia,* that is a general practitioner, chosen from the lists provided by the local health offices (*USL*).

Under EEC agreements visiting foreigners are entitled to the same benefits, but you should get the relevant documents from your own local NHS offices before leaving the country.

If you want any kind of treatment you must first see a *medico di famiglia* by making an appointment at a surgery. If you need medicine the doctor will give you a *ricetta* which must be taken to a chemist, the sign for which is a red cross on a white background. A *farmacia comunale* is found in most towns and is generally the one which is open late. Look in the local newspaper or read the notice on every chemist's shop which gives the names and addresses of other chemist shops which are open. For minor illnesses, you can ask advice from the *farmacista* and s/he will recommend something that you do not need a prescription for, or advise you to see a doctor.

If the *medico di famiglia* feels you need to see a specialist, s/he will send you to the local *USL* where they will make an appointment for you.

In an emergency you can call the *guardia medica,* whose number is found in the front pages of the telephone directory, or you can go straight to the *Pronto Soccorso* of the nearest hospital. All treatment is free for everyone. If an ambulance is needed, the appropriate number can be found in the front pages of the telephone directory. The number can also generally be found in public call boxes.

If you are having problems with your teeth, you'll need to make an appointment with a *dentista.* Either go to a local USL or look in the *Pagine Gialle* under *Dentisti.* The cost of treatment is very high for private patients.

2 Etiquette

□ 2.1 Varieties of Italian

In Italian you can use different vocabulary and grammar to be
polite or familiar
formal or informal
direct or indirect

Formality: Language is always more formal when we are writing to someone we do not know or a person senior to ourselves in age or status. Compare the following:

a) Il Direttore ha stabilito che sarebbe preferibile considerare una diversa collocazione per il magazzinaggio dei pezzi di ricambio delle macchine.
b) Piero ha detto che dovremmo trovare un altro posto per tenere i pezzi di ricambio delle macchine.

The first example is very formal and would only be written, not spoken. The trend is to use less formal language and to use language between the above examples. (See also Section A 3.6.)

Formal	**Core**	**Informal**
(written)	(written or spoken)	(spoken)
risiedere	abitare/vivere	abitare/vivere
prole	figli	bambini/ragazzi
bagno	toilette	gabinetto
signore	donne	ragazze
signori	uomini	giovanotti

□ 2.2 Politeness

A general rule is that the Italians are more 'polite' to strangers and to people more senior or when they are in a weak position, eg wanting something they may have difficulty in getting. They are more familiar to their nearest and dearest, ie family, close friends, lovers.

A general rule is that whenever you would call people by their first name in English, then the use of *tu* is appropriate.

Another general rule is that longer sentences make a request politer and more formal.

Che? Familiar
Come?
Scusa.
Mi scusi.
Ripeti, per piacere.
Ti dispiace ripertere?
Le dispiace ripetere?
Le dispiacerebbe ripetere?
Le dispiacerebbe, per favore, ripetere?
Vuole essere così gentile da ripetere?
Vorrebbe essere così gentile da ripetere?
Per piacere, vorrebbe essere così cortese da ripetere? Polite

An exception to the rule of using polite language with strangers is on notices:
VIETATO FUMARE STAZIONI SERVIZIO CHIUSE PER SCIOPERO SULLA A1 NON SI ACCETTANO ASSEGNI

Scusi, grazie, prego:
If you knock against someone *scusa (tu* form) or *scusi/mi scusi (lei* form)
Reply *Prego*
If you forget to put sugar in someone's coffee *Scusa/scusi* Reply *non importa/fa niente* (*tu* form) or *prego* (*lei* form)
If somebody stands aside for you *grazie* Reply *prego*
If someone passes you the salt *grazie* Reply *prego*
You either accept or refuse something which is offered to you:
Sì, grazie
No, grazie
Prego is also used when you want to stand aside for someone.
Scusi, grazie and *prego* are used as an acknowledgement. If you are really sorry, you would make your apology longer by adding an excuse:
Written: *Vi prego di accettare le mie scuse per il ritardo di consegna e i problemi che vi può aver causato. Ciò è avvenuto a causa dello sciopero delle dogane.*
Spoken: *Mi dispiace moltissimo di aver fatto tardi. Non avevo letto bene l'orario.*
Directness: In general directness is appreciated when it does not involve lack of politeness. Italians are generally suspicious of people who say one thing and actually mean another.
Posso usare la sua calcolatrice, per favore? Ho dimenticato la mia a casa.
This is a perfectly direct and polite way of asking for something.

□ 2.3 Hospitality

If you are invited for a meal at a person's house, a bunch of flowers – but never chrysanthemums, which are used only in cemeteries – should precede your arrival, if the dinner is rather formal. If you visit friends you can take your present with you, again flowers or a bottle of good whisky, which Italians are fond of. The Italian sentence *buon appetito*, once said at the beginning of a meal is today considered old-fashioned and is generally replaced by *deve essere squisito*, *deve essere buonissimo* or similar expressions. If you are 'looking after' Italian people in your country, remember they like 'being looked after' and will appreciate visiting places not mentioned in tourist guides and experiencing the English style of life. The only exception to this is that sooner or later they will ask you for an address of a good Italian restaurant.

□ 2.4 The bar and the restaurant

It is quite common for Italians to have breakfast, coffee after lunch, and an *aperitivo* in a bar.

The *aperitivo* is served in good bars with olives, chips, nuts or similar appetizers. It is also common for working people in north-central areas to have lunch at the bar. Any kind of strong drink can be bought in a bar at any time, but to drink wine is not socially acceptable unless it is a white one, drunk as an *aperitivo*.

In small centres the bar is a meeting place for men after dinner. They go there to relax and socialize, and often to play cards or billiards. In big towns the popularity of the sophisticated *caffè* where you can spend an evening is increasing, especially among young people of both sexes.

As for restaurants, eating out has always been a national sport and the increasing number of working women makes an invitation to dinner at someone's house very rare and something to be appreciated.

At a restaurant or a bar only young people or parties of close friends ask for separate bills.

□ 2.5 Queuing

The habit of queuing is quite recent in Italy and it is still common to meet people who try to jump the queue. The method of using *numero*, that is, placing a machine in big shops or in certain offices, from which people get a numbered ticket, so that no dispute arises as to whose turn it is, has recently become popular. In any case it is not advisable to jump a queue as people in Italy are not as polite as in Britain when they get annoyed!

□ 2.6 Meeting and greeting

Italians shake hands when they meet and when they part. Actually they use their hands much more than most foreigners do, and a gentle touch on one's arm is quite common. One should not feel embarrassed as it does not imply the familiarity a foreigner might expect. Italians generally like foreigners and accept any possible difference in etiquette with a feeling of sympathy and interest, though something is changing in the old, friendly attitude towards foreigners and in the long-standing deep appreciation of whatever comes from abroad. A new national pride has been born out of the recent economic success, and strangers are expected to forget the stereotyped views of the country which tourists are so fond of.

□ 2.7 Tipping

The use of tips, or at least their amount, is generally declining, especially in the northern and central regions. Taxi drivers do not expect any, though a small one will be willingly accepted; as for restaurants, since service began to be included on the bill, the amount of the tip mainly depends on one's habits and attitude. Be careful to make sure you get a receipt and keep it handy when you are leaving a restaurant as checks are occasionally made and you could be in trouble if found without one. This same rule applies whenever you buy things in shops or pay for other services.

□ 2.8 Weather

As the weather is a neutral, safe topic, it is often referred to in 'small talk' (see Section B 1.4.2)

Comment:	Reply:
Bella giornata, vero?	Magnifica/splendida.
Fa caldo, vero?	Si sta veramente bene.
Che brutto tempo!	Tremendo!
Che freddo oggi!	Davvero, fa proprio freddo!
Non è bello oggi, vero?	Per niente.
Non è un gran bel tempo, vero?	No, per niente.

The kind of weather you have will depend on the time of year and luck. There is much difference between the summer and winter temperatures and winters are frequently much colder throughout the country than foreigners expect. In January and February it is not uncommon to have temperatures below 0°C, and in July, the hottest month, for temperatures to reach 40°C, or even higher.

One of the effects of the Italian weather, mainly in summer, is that the Italians spend more time outdoors than do people in worse climates.

3 International postal services

Postal services are run by the Ministry of Postal Services and Telecommunications, and like most state-run services, they are slow and inefficient. Letters of some importance should always be sent registered, and if delivery within a reasonable time is required, it is advisable to pay the express rates.

An exception in terms of efficiency is the recently established fast delivery services for letters and small parcels known as *P.I. Post* for domestic deliveries and *CAI-post* (the equivalent of the British International Datapost) for international deliveries.

P.I.Post is available at a restricted number of central offices such as Torino, Milano, Genova, Verona, Piacenza, Parma, Modena, Reggio Emilia, Bologna, Firenze, Prato, Pisa, Livorno, Roma, Napoli, Palermo and Cagliari. CAI-post, which pre-dated P.I.Post, is also offered by the central post offices of Venice, Bari and Catania. With P.I. Post and CAI-post post offices will give stated delivery dates. These two services are competitive with the many private mail courier service companies which flourish almost everywhere.

Ricevuta di ritorno The sender is informed when the parcel/letter has arrived. This is only available for registered items.

Raccomandata Provides proof of posting and a small amount of compensation for loss or damage.

Assicurata Available for letters and parcels. Provides proof of posting, additional security during postage, proof of delivery and insurance cover up to the maximum permissible limit.

Raccomandata Espresso This provides messenger delivery. If the addressee is not present to sign the Post Office receipt, an *Avviso di raccomandata* will be left. With that the receiver can collect the letter/parcel at the local post office.

Raccomandata con ricevuta di ritorno Available for letters and parcels. It provides proof of posting, additional security during postage, proof of delivery and insurance cover up to the maximum permissible limit.

CAI-post see above.

Coupons di risposta internazionale (the English wording, International Reply Coupon, is also used) A way of pre-paying the cost of a reply from abroad.

Pacchetto postale Within Europe there is one service. Outside Europe there is a choice of air or surface. Customs documents are required. It is the simplest way of sending small parcels when speedy delivery is not important.

Stampe Available for printed papers. Within Europe, surface service only. Outside Europe there is a choice of air and surface. Low rates for advertising literature, newspapers, journals, etc. are available.

Via Aerea This is a faster service than ordinary mail and is available for letters. Customs declarations are required for all items except letters and printed papers. The sender's name and address must be shown on small packets and should be shown on all overseas mail.

Italian Rail operate an express parcel and package service to European countries and within Italy. Goods can be collected at the destination. Ask for information at main railway stations.

4 Telecommunications

□ 4.1 Services run by SIP, SEAT, post offices

SIP is the para-statal company which provides most telecommunication services. Others, such as telex, bureaufax, public emergency services and maritime emergency services are run by the *Ministero delle Poste e Telecomunicazioni.* Telephone directories are published by *SEAT,* a licensed company. Below some of SIP telecommunication services in Italy are described briefly.
Conference facilities:

Rete Dedicata Collegamenti Diretti This provides a company with a permanent network linking the company's different branches.

Rete Fonia dati A public network linking two locations. It is operated and disconnected on request.

Audioconferenza Enables a meeting to take place between a number of telephone users. It provides two-way audio and visual links between distant locations.

Videoconferenza Small groups of people in two locations can see and hear each other, either in SIP public rooms or a company's private facilities. At present SIP public rooms are found only in Bologna, Firenze, Genova, Milano (where videoconferenza facilities can be found both in the SIP public room and at the Fiera, the Milan Exhibition grounds), Napoli, Rome and Torino.
Directories and Information services:
OMEGA 1000 This gives access to several directories providing business information.

Videotel SIP The public video service linking television sets and certain terminals to computers by telephone lines so that large volumes of information stored and updated centrally on computers can be brought into offices and homes. Two-way services allow the user to 'talk back' to the computer; for example, brochures may be requested, travel reservations may be made or bank transactions carried out.

Elenco degli Utenti del servizio Telefax The directory of names and fax numbers.

Numeri utili a volte indispensabili An SIP publication with public service numbers and numbers for obtaining different kinds of information. The same numbers are given in the front pages of telephone directories.

Il tutto SIP Provides general information about SIP's products and services.

Pagine Gialle Published by SEAT, includes the names and addresses of all the companies throughout the country. They are given under headings according to the goods and services offered. All subscribers receive the *Pagine Gialle* for their area, as well as *Tutto Città*, a guide for towns in the same area.

IPM – SEAT Provides companies with specific information on potential customers.

Annuario SEAT Published in 10 volumes which cover the whole country under headings according to products and services.

Europages SEAT A directory for business users. It is published every year and includes information on more than 130,000 companies operating on an international level.

Italian Yellow Pages for the U.S.A. SEAT. A directory of Italian exporters to the U.S.A. It includes more than 20,000 companies, whose names and addresses are given under headings according to the goods or services offered.
Freephone services:

Numero Verde By dialling 1678 followed by the company's number customers are connected free of charge to companies, who pay for the call.
Computer connections:

Pagine Gialle Elettroniche Uses the standard telephone network and gives a wide range of terminal access to *Pagine Gialle* databases.

ITAPAC For data transmission over the public telephone network. Data terminals or computers may be connected directly with compatible equipment in Italy as well as abroad.

Other business services:
Business centres are privately run and one should contact the local Chamber of Commerce to get information.

Bureaufax is a service for customers who want to fax messages abroad or within Italy. The service is run by Post Offices and can be found in most central Post Offices in main towns.

Telex pubblico is a service run by Post Offices in the main centres. Receivers are notified when telexes arrive, provided the receiver's phone number is indicated on the telex message.

□ 4.2 Telephones

Telephone communications are also run by SIP.

Payphones From payphones you can make local, national and international calls. The old English Pay-on-answer phones have never existed in Italy. With

Italian payphones you insert your money (or telephone tokens) first and then dial the number you want. At present three kinds of telephone boxes are in use. The old type of payphone, going out of use, accepts only a special token, *gettone*, which can be bought from SIP offices, bars or automatic dispensers. When a call is not local, you need more than one *gettone*.
The phone boxes which are now the most common in public places also accept 100 and 200 lira coins.
The third kind uses pre-encoded Phonecards instead of coins. They are generally found in motorway petrol stations, some main railway stations and certain hotels and bars. The cards cost 3000, 6000 or 9000 lire and can be bought where the service is available.
In 1987 SIP started a new kind of telephone box (ROTOR) using credit cards.
Milan telephone numbers start with 02, Rome's with 06. If you are dialling a call that is not local you need to know the code for the exchange you are calling. The codes are listed in a book published by SIP, or dial 175 and the operator will tell you.

Chiamate di emergenza Dial 113 and ask for Police, Ambulance or Fire Service.

Informazioni elenco abbonati Dial 12. They can give you a number you do not know, if you have the person's or company's name and the name of the town.

Informazioni internazionali Dial 176 for international information for European countries, and 170 for others.

Prenotazioni For transferred charge calls or any call made through an operator dial 10. A person to person call connected by the operator costs more than direct dialling. For information or advice on duration and charge of calls with *prenotazione*, dial 175.
Numbers for information on the weather, time, travel conditions and other information or services are listed in the front pages of the telephone directory for each area.

The dial tones:
The tone for *comunicazione* means you can begin dialling and it is a repeated beep beep
The tone for *numero libero* means the other phone is ringing and it is beep beep beep
The tone for *numero occupato* means the other phone is being used and it is a beepbeepbeep
When a number is unobtainable no sound is heard.
The tone for *Fine chiamata* in a call box means you have to put additional money in and is a brr brr

□ 4.3 International calls

For European Directory Enquiries, dial 176. For countries outside Europe dial 170. To dial directly, dial 00 and then the country's code. For example:

To	France	Germany	Great Britain	Spain	USA
From Italy	0033	0049	0044	0034	001

Check the time differences before phoning. From towards the end of March to the end of September, Italy moves an hour ahead, to European Summer time. Italy is one hour ahead of Greenwich Mean Time (GMT). The USA is 5 to 11 hours behind Italian time, depending on how far east you are calling.

□ 4.4 Tips on using the phone

Don't ring a person's home for a business call – if you have to, give an apology. 'Mi dispiace di aver dovuto chiamarla a casa, ma . . .'
Don't use other people's phones unless you have to – and before you do offer to pay.
Calls between 8.30am and 1pm cost from 35% to 50% more according to the length of the call.
Answer the phone with your first name then your family name – unless you are the receptionist when you don't give your name but give the company name.
Check whether your hotel charges extra for a call made from your room – it's certainly cheaper to make a call from the foyer.
Don't use the first name or the *tu* form for a person you've never met.
Use telephone directories to get a number; Italian spelling is easy, surely easier than speaking to an operator.
When you first try to collect a debt, you might use the phone. If the debtor means to pay, it will be quicker and simpler. If your debtor is not willing to pay, then a letter is more effective and is a legal document.

5 Sources of information

Most Chambers of Commerce provide commercial and technical information for the business community. The information service can be used in person, by phone or by letter. Telephone numbers and addresses are listed under *Camere di Commercio* in the *Pagine Gialle*. In industrial centres there is generally an *Unione Industriale*, where marketing information is provided.
For both organizations opening times vary, but core times are usually from 8.30am to 2pm.

□ 5.1 Directories, journals, books

Source	Information
Videotel (SIP) and *Televideo* (RAI) transmit pages of written data by television sets. (see also *Videotel* in Section C4.1)	Stock Exchange and market reports. Foreign exchange rates. Weather maps. Train and air services. News headlines. Entertainment and sport. Traffic information. Tourism. Food guide. Health. Taxation guide.

Current affairs, economics, trade directories:

Pubblicazioni ISTAT	Up-to-date statistics on population, health services, cultural institutions and schools, election results, justice, agriculture, industries, transport and communications, home and foreign trade, public administration, etc, compiled by *Istituto Centrale di Statistica,* the official state-run institute for statistical research.
Gazzetta Ufficiale della Repubblica Italiana	Laws and Bills. Published every weekday by the *Ministero di Grazia e Giustizia*.
Guida Monaci	A publication revised annually divided into two Sections: Section 1 deals with all organizations, other than business and trade organizations, at the local, national and international level. Section 2 gives information about all sorts of firms in industry, trade and services. Both sections provide the names of the persons in charge of any organization or company, their job titles, addresses and phone numbers.
	The guide selects more than 100,000 businesses and gives their *ragione sociale*, paid-up capital and all the other relevant data. They are classified under products and services and also under geographic areas.

CERVED	Service offered by Chambers of Commerce. It provides lists of businesses at the local and regional level, under category entry.
IPSOA Strumenti	Up-dated guides for businessmen on national and international trade regulations, fiscal laws, management and economics. They also publish journals.
Pubblicazioni Il Sole 24 Ore	Up-dated financial guides.
Europages	Directory of German, Belgian, British, French, Dutch and Italian exporters. An edition for each country in the language of the country in which it is distributed.
Telex Italia	Lists of subscribers to the telex service with numbers, answerback codes, charges and services.
Telex Italia Volume II	The same lists as above but classified under category entries.
Pagine Gialle	Names, addresses and telephone numbers of local firms classified under businesses.
Annuario SEAT	Ten volumes of businesses classified under products and services on a national basis.

Travel:

Guide del Touring Club, Guida Michelin	Sightseeing, hotels and restaurants.
Orario Ferroviario Pozzo	Published twice a year, it gives timetables, fares for trains, including main international routes, as well as ferry services run by *Ferrovie dello Stato*.

□ 5.2 Bodies giving services and information

British Consulate-General Via San Paolo 7 20121 Milano Tel: 02 803442–6 Telex: 310528 UKCON	Provides business information about the regions of Lombardia, Trentino Alto Adige, Friuli Venezia Giulia, Veneto, Emilia Romagna (except the provinces of Ravenna and Forlì) and Liguria.

Commercial Department British Embassy Via XX Settembre 80 A 00187 Roma Tel: 06 4755441 Telex: 610049 UKEMB	Provides business information on the regions of Lazio, Umbria and Abruzzi.
British Consulate-General Lungarno Corsini, 2 50123 Firenze Tel: 055 263556 Telex 570270	Provides business information on the regions of Tuscany, Umbria and Marche, plus the provinces of Ravenna and Forlì.
British Government Trade Office Corso Massimo d'Azeglio 60 10126 Torino Tel: 687832 Telex: 221464 BRITRA	Provides information on Piemonte and Val d'Aosta.
British Chamber of Commerce Corso Buenos Aires 20124 Milano Tel: 02 6701081	Provides British exporters to Italy with business information, advice and assistance.

There is a *Camera di Commercio* and an *Unione Industriale* in most towns and cities. Their numbers are found in the *Pagine Gialle*. They give local lists of companies and products and provide business assistance and guidance.

□ 5.3 Language courses in Italy

There are few schools in Italy where you can learn the language. Most courses are run by universities, mainly by those where many foreigners study. Privately run schools are found in big cities. Look for them in *Pagine Gialle,* under *Scuole varie*.

However a fair number of Italian and most business contacts with whom the visitor will deal are able to speak some English.

□ 5.4 Reference books useful for visitors to Italy who are not native speakers

There are unfortunately very few good reference books which cover all aspects of Italian everyday life.

In addition to travel guides (see Section C 5.1), which give useful general information, visitors to Italy are advised to read the pages on culture, social events and entertainment in the good weekly magazines, such as *Panorama*, *L'Espresso* etc.

Two interesting books are:
Cose da Sapere, Lina Sotis, Arnoldo Mondadori, 1986 – an entertaining guide to socially accepted behaviour in different situations.

Guida d'Italia, a Guide dell'Espresso publication – a guide, published and revised yearly, to good restaurants all over Italy with enjoyable comments which point out regional differences and help to make clear the relation between food and the culture of the country.

ABBREVIATIONS

abbr.	Abbreviazione, abbreviato	(Abbreviated)	abr.
ABI	Associazione Bancaria Italiana	(Italian Bankers' Association)	
a.c.	Anno corrente	(Present year)	
a.c.	Assegno circolare	(Similar to banker's draft)	
ACI	Automobil Club Italiano	(Automobile Association)	AA, RAC
ALITALIA	Aereolinee italiane Internazionali	(Italian Airlines)	
All.	Allegato/i	(Enclosure[s])	enc(s)
alt.	Altezza	(Height, altitude)	
AME	Accordo Monetario Europeo	(European Monetary Agreement)	EMA
ANAS	Azienda Nazionale Autonoma della Strade	(State highways authority)	
app.	Appendice	(Appendix)	app.
A.R.	Andata e ritorno	(Return ticket)	
ATI	Aereo Trasporti Italiani	(Italian Air Freight Line)	
Avv.	Avvocato	(Lawyer)	
AWB	Air waybill/polizza di carico	(Air waybill)	AWB
B/L	Bill of Lading/polizza di carico marittimo	(Bill of Lading)	B/L
brev.	Brevetto	(Patent)	
°C	Grado centigrado	(Degrees Centigrade)	°C
c	Copyright	(Copyright)	c
c.a.	Corrente alternata	(Alternating current)	AC
ca.	Circa	(About, circa)	
cad.	Cadauno, ciascuno)	(Each)	
CAP	Codice di avviamento postale	(Post code)	
cat.	Catalogo	(Catalogue)	
cc.	Centimetro cubico/ copia carbone	(Cubic centimetre/carbon copy)	cc
c.c.	Corrente continua	(Direct current)	DC
c/c	Conto corrente	(Current account)	
CEE	Comunità economica europea, detta anche Mercato comune europeo [MEC]	(European Economic Community also called Common Market)	EEC

C&F	Cost and freight/costo e nolo	(Cost and freight)	C&F
cfr.	confronta	(Compare)	
CIF	Cost, insurance and freight/costo, assicurazione e nolo	(Cost, insurance and freight)	CIF
CIGA	Compagnia Italiana dei Grandi Alberghi	(Italian Great Hotels Company)	
CIP	Comitato Interministeriale per i prezzi	(Committee of Ministers for prices)	
cit.	Citato	(Cited, quoted)	
cl.	Centilitro	(Centilitre)	cl
cm.	Centimetro	(Centimetre)	cm
c.m.	Corrente mese	(Present month)	
comm.	Commerciale	(Commercial)	
CONF-COMMER-CIO	Confederazione Generale Italiana del Commercio	(General Federation of Italian Merchants and Shopkeepers)	
CONFIN-DUSTRIA	Confederazione Generale dell'Industria italiana	(Confederation of British Industry)	CBI
C.P.	Casella postale	(Post office box)	P.O. box
c.s.	Come sopra	(As above)	
c.to	Conto	(Account [banking])	a/c
D/A	Documents against acceptance – documenti contro accettazione	(Documents against acceptance)	D/A
Dir. Gen.	Direzione Generale	(Main Office)	
div.	Divisione, dipartimento	(Department)	Dep.
Dott./Dr.	dottore (laurea)	(University degree)	
dz.	Dozzina	(Dozen)	
ecc.	Eccetera	(Etcetera)	etc.
EFTA	European Free Trade Area – Associazione europea di libero scambio	(European Free Trade Area)	EFTA
EPT	Ente Provinciale per il Turismo	(Provincial Tourist Information Office)	
°F	Grado Fahrenheit	(Fahrenheit)	°F
FAS	Franco sotto paranco	(Free alongside ship)	FAS
Fax	Telex, facsimile	(Facsimile)	Fax
F.co.	Franco [termini di consegna]	(Free [delivery terms])	
FF.SS.	Ferrovie dello Stato	(British Rail)	BR

FMI	Fondo Monetario Internazionale	(International Monetary Fund)	IMF
FOB	Franco a bordo	(Free on board)	FOB
f.to.	Firmato	(Signed)	
GATT	Accordo generale sulle tariffe e sul commercio estero	(General Agreement on Trade and Tariff)	GATT
G.U.	Gazzetta Ufficiale	(Official Gazette)	
HAWB	Polizza di carico aereo emessa da spedizionieri	(House air waybill)	HAWB
IATA	Associazione internazionale per il trasporto aereo	(Interational Air Transport Association)	IATA
ICE	Istituto per il Commercio Estero	(British Overseas Trade Board)	BOTB
id.	idem	(The same)	
Ing.	ingegnere	(Engineer)	
I.P.S.	Istituto Poligrafico di Stato	(Her Majesty's Stationery Office)	HMSO
IRI	Istituto per le Ricostruzione Industriale	(Institute for Industrial Reconstruction)	
ISTAT	Istituto Centrale di Statistica	(Central Statistics Institute)	
kg.	Chilogrammo	(Kilogram)	kg
kl.	Chilolitro	(Kilolitre)	kl
km.	Chilometro	(Kilometre)	km
km/h	Chilometri all'ora	(Kilometres per hour)	
kW	Chilowatt	(Kilowatt)	kw
l.	Litro	(Litre)	l
L/C	Lettera di credito	(letter of credit)	L/C
L.it.	Lire italiane	(Italian Lire)	
mitt.	Mittente	(Sender)	
mg.	Milligrammo	(Milligram)	mg
ml.	Millimetro	(Millimetre)	ml
n.	Nato/nome	(Born) (Name)	b. n.
NB	Nota bene	(Note well)	NB
N/C	Nota di credito	(Credit note)	C/N
N/D	Nota di debito	(Debit note)	D/N
No.	Numero	(Number)	No.
O.d.G.	Ordine del giorno	(Order of the day)	
On.	Onorevole, deputato	(Member of Parliament)	MP
p.a.	Per auguri	(Greetings [on business card])	

pag./pagg.	Pagina/e	(Page/pages)	p pp
p. es.	Per esempio	(For example)	e.g.
PNL	Prodotto nazionale lordo	(Gross National product)	GNP
PTT	Poste e Telecomunicazioni	(Post, Telephone and Telegraph Service)	
p.r.	Per ringraziamento	(Thanks [on business cards])	
p.v.	Prossimo venturo	(Next month)	
Rag.	Ragioniere	(Accountant)	
RAI	Radiotelevisione italiana	(British Broadcasting Corporation)	BBC
Rif.	Con riferimento a	(With reference to)	Re
ripr. viet.	Riproduzione vietata	(Copyrighted)	
RSVP	Répondez s'il vous plaît/Vogliate rispondere	(Please reply)	RSVP
sbf.	Salvo buon fine	(Under usual reserve)	
S.E. & O.	Salvo errori ed omissioni	(Errors and omissions excepted)	E & OE
SIP	Società Italiana dei Telefoni	(Italian Telephones Corporation)	
SME	Sistema Monetario Europeo	(European Monetary System)	EMS
Soc.	Società	(Company)	Co.
S.Q.	Secondo quantità [sul menù]	(Price depending on quantity [on menu])	
srl.	Società a responsabilità limitata	(Limited)	Ltd.
USL	Unità Sanitaria Locale	(National Health Service)	NHS
VIP	Very important person/ persona molto importante	(Very important person)	VIP
VV.UU.	Vigili urbani	(Traffic police)